ДЖОН ГРИН

ДЖОН ГРИН

ВИНОВАТЫ ЗВЕЗДЫ

Перевод с английского О. Мышаковой
Под редакцией Е. Давыдовой, Д. Румянцева

Издательство
АСТ
Москва

УДК 821.111-31(73)
ББК 84 (7Сое)-44
Г85

John Green

THE FAULT IN OUR STARS

Перевод с английского О. Мышаковой

Под редакцией Е. Давыдовой, Д. Румянцева

Печатается с разрешения издательства Dutton Children's Books,
a division of Penguin Young Readers Group, a member of Penguin
Group (USA) Inc. и литературного агентства Andrew Nurnberg.

Грин, Джон.

Г85   Виноваты звезды : [роман] / Джон Грин; пер. с англ.
О. Мышаковой; под ред. Е. Давыдовой, Д. Румянцева. —
Москва: Издательство АСТ, 2016. — 286, [2] с.

ISBN 978-5-17-086713-4 (С.: MustRead — Прочесть всем)
Компьютерный дизайн Э.Э. Кунтыш

ISBN 978-5-17-086712-7 (С.: Кино)
Компьютерный дизайн Г.В. Смирновой
*Иллюстрация на переплете Twentieth Century Fox Film
Corporation*

Подростки, страдающие от тяжелой болезни, не собираются сдаваться.

Они по-прежнему остаются подростками — ядовитыми, неугомонными, взрывными, бунтующими, равно готовыми и к ненависти, и к любви.

Хейзел и Огастус бросают вызов судьбе.

Они влюблены друг в друга, их терзает не столько нависшая над ними тень смерти, сколько обычная ревность, злость и непонимание.

Они — вместе. Сейчас — вместе. Но что их ждет впереди?

УДК 821.111-31(73)
ББК 84 (7Сое)-44

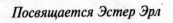

Посвящается Эстер Эрл

Поднимался прилив. Тюльпановый Голландец обернулся к океану:

— Разлучает воссоединяет отравляет укрывает разоблачает. Набегая и отступая, все уносит с собой.

— И что это? — спросила я.

— Вода, — ответил Голландец. — И время.

Питер ван Хаутен. Царский недуг

От автора

Это не столько обращение, сколько напоминание о том, что роман является плодом художественного вымысла. Я его придумал.

Ни книги, ни читатели нисколько не выигрывают от попыток установить, легли ли в основу произведения реальные факты. Подобные попытки подрывают идею значимости выдуманных сюжетов, которую можно причислить к фундаментальным догмам нашего биологического вида.

Надеюсь на ваше понимание.

Глава 1

В конце моей семнадцатой зимы мама решила, что у меня депрессия, потому что я редко выхожу из дома, много времени провожу в кровати, перечитывая одну и ту же книгу, мало ем и посвящаю избыток свободного времени мыслям о смерти.

В любой брошюре, на любом сайте, посвященном раку, депрессию называют одним из его побочных эффектов. На самом деле депрессия не побочный эффект рака. Депрессия — побочный эффект умирания. (Рак — тоже побочный эффект умирания. Да и вообще в эту категорию можно отнести практически все.) Но мама решила отвести меня к лечащему врачу, доктору Джиму, который подтвердил, что я действительно погружена в парализующую, уже клиническую депрессию, поэтому нужно скорректировать принимаемые мною лекарства и обязать меня посещать еженедельные заседания группы поддержки.

Группа поддержки отличалась постоянной сменой состава участников, пребывавших в разных стадиях депрессии по поводу своей онкологии. Почему состав менялся? Побочный эффект умирания.

Посещения группы поддержки угнетали хуже некуда. Собрания проходили по средам в подвале каменной епископальной церкви, фундамент которой имел форму креста. Мы садились в кружок посередине — там, где пересекались бы перекладины и находилось сердце Иисуса.

Я обратила на это внимание только потому, что Патрик, руководитель группы поддержки и единственный из нас, кому уже исполнилось восемнадцать, заводил волынку об Иисусовом сердце каждую чертову встречу — как мы, юные борцы с раком, сидим в самом сердце Христа, священнее места не найти, и все такое.

А вот что происходило в сердце Иисусовом: вшестером, всемером или вдесятером мы входили или въезжали на инвалидных креслах, нехотя жевали каменное печенье, запивая лимонадом, садились в круг доверия и в тысячный раз слушали занудный рассказ Патрика о том, как у него случился рак яичек и все думали, что он умрет, но он не умер и теперь сидит перед нами в церковном подвале города, занимающего сто тридцать седьмое место в списке лучших городов Америки, взрослый, разведенный, подсевший на видеоигры, без друзей, влачащий жалкое существование, эксплуатирующий свое онкорасчудесное прошлое, еле ползущий к получению диплома магистра, который никак не улучшит его карьерные перспективы, живущий, как все мы, под дамокловым мечом-избавителем, с которым разминулся много лет назад, когда рак отнял у него яйца, оставив то, что лишь самая сердобольная в мире душа назовет жизнью.

ВАМ ТОЖЕ МОЖЕТ ТАК ПОВЕЗТИ!

Потом мы знакомились: имя, возраст, диагноз, настроение. «Меня зовут Хейзел, — говорила я, когда до меня доходила очередь. — Шестнадцать. Первичная локализация в щитовидке и старые, но внушительные метастазы в легких. У меня все о'кей!»

Дав всем представиться, Патрик спрашивал, не хочет ли кто чем поделиться. И начиналась круговая мастурбация: каждый лепетал о борьбе и победе, о потере веса и результатах сцинтиграфии*. Надо отдать Патрику должное: он позволял нам говорить и о смерти. Но большинство находились не в терминальной стадии и должны были дотянуть до совершеннолетия, как Патрик.

(Отсюда вытекало наличие нехилой конкуренции: каждому хотелось пережить не только рак, но и всех присутствующих. Пусть это иррационально, но когда говорят, что у тебя, скажем, двадцать шансов из ста прожить пять лет, ты с помощью несложного математического перевода получаешь один шанс из пяти, после чего оглядываешься и думаешь: мне надо пересидеть четырех из этих гадов.)

Единственной компенсирующей составляющей группы поддержки был парень по имени Айзек, длиннолицый, тощий, с прямыми светлыми волосами, свисающими на один глаз.

Проблема у него была как раз с глазами. У Айзека была невероятно редкая форма рака. Один глаз ему удалили в детстве, и он носил очки с толстыми стеклами, в которых его глаза, настоящий и стеклянный, казались неестественно огромными, словно на лице у него только и было, что фальшивый глаз да настоящий глаз, глядевшие на тебя. Насколько я поняла из нечастых визитов Айзека в группу поддержки, рецидив поставил под угрозу его оставшийся орган зрения.

---

* Радиоизотопное исследование. — *Здесь и далее примеч. пер.*

Мы с Айзеком общались с помощью вздохов. Всякий раз, как кто-то обсуждал противораковые диеты или предавал остракизму вытяжки из акульих плавников, он смотрел на меня и тихонько вздыхал. Я едва заметно качала головой и вздыхала в ответ.

В общем, группа поддержки не помогла: через несколько недель я готова была отбиваться ногами, лишь бы туда не ездить. В ту среду, когда я познакомилась с Огастусом Уотерсом, я предприняла все возможное и невозможное, чтобы остаться дома, пока мы с мамой сидели на диване и смотрели третью серию двенадцатичасового марафона прошлого сезона «Топ-модель по-американски», который я уже видела, но все равно смотрела.

Я: Я отказываюсь посещать группу поддержки.

М а м а: Одним из симптомов депрессии является потеря интереса к любым занятиям.

Я: Ну давай я буду смотреть «Топ-модель по-американски»! Это тоже занятие.

М а м а: Это пассивное занятие.

Я: Ну ма-ам, ну пожалуйста!

М а м а: Хейзел, ты уже почти взрослая. Ты не маленький ребенок. Тебе нужно заводить друзей, выходить из дома, жить своей жизнью.

Я: Если ты хочешь, чтобы я вела себя как взрослая, не посылай меня в группу поддержки. Лучше достань мне фальшивое удостоверение личности, чтобы я могла ходить по клубам, пить водку и принимать гашиш.

М а м а: Ну во-первых, гашиш не принимают...

Я: Вот видишь! Я бы это знала, будь у меня фальшивые документы!

М а м а: Ты поедешь в группу поддержки.

Я: А-а-а-а-а-а!

М а м а: Хейзел, ты заслуживаешь жизни.

На это у меня возражений не нашлось, хотя я так и не поняла, как посещение группы поддержки можно привязать к понятию «жизнь». Но ехать согласилась, выторговав право посмотреть потом в записи те полторы серии «Топ-модели», которые пропущу.

Я согласилась посещать группу поддержки по той же причине, по какой позволяла всяким медсестрам с полуторагодичным образованием пичкать меня лекарствами с экзотическими названиями: ради родителей.

Хреновей, чем умирать от рака в шестнадцать, может быть только одно: иметь ребенка, который умирает от рака.

К заднему фасаду церкви мы подъехали без четырех минут пять. Несколько секунд я притворялась, что вожусь с кислородным баллоном — просто чтобы убить время.

— Помочь?

— Нет, спасибо, — сказала я.

Зеленый баллон весит всего несколько фунтов, плюс у меня есть стальная тележка, чтобы возить его за собой. Через канюлю из баллона в меня поступает два литра кислорода в минуту — прозрачная трубка раздваивается сзади у шеи, цепляется за уши и вновь соединяется под ноздрями. Хитрая трубка с баллоном необходима, потому что легкие ни фига не справляются со своей задачей.

— Я тебя люблю, — сказала мама, когда я вылезала из машины.

— Я тебя тоже. Подъезжай к шести.

— Заводи друзей, — напомнила мама через опущенное стекло, когда я шла к подвалу.

К лифту я не пошла: лифтом пользовались только те, кому осталось жить несколько дней. Спустившись по лестнице, я взяла печенье, налила лимонада в бумажный стаканчик «Дикси» и обернулась.

На меня пялился какой-то парень.

Я его никогда раньше не видела. Долговязый и худой, но не хилый, он скрючился на детском пластиковом стульчике. Короткие прямые темно-рыжие волосы. Мой ровесник или, может, на год старше, сидит на краешке стула в вызывающе неудобной позе, одна рука наполовину засунута в карман темных джинсов.

Я отвела глаза, сразу вспомнив о тысяче своих недостатков. Я в старых джинсах, которые прежде едва налезали, а теперь висят в самых неожиданных местах, и желтой футболке с рок-группой, которая мне уже не нравится. Волосы у меня подстрижены под пажа, и я не забочусь их расчесывать. Ну и щеки как у хомяка — побочный эффект стероидов. В общем, я выглядела как человек нормального сложения с воздушным шаром вместо головы. Это я еще не вспоминаю о толстых икрах и лодыжках. И все же я украдкой посмотрела на незнакомца. Он по-прежнему не сводил с меня глаз.

До меня впервые дошел смысл выражения «встретиться взглядами».

Я села рядом с Айзеком, через два стула от новенького. Покосившись, я убедилась: все еще смотрит.

Ладно, скажу прямо: он был красавчик. Когда на тебя неотрывно глядит некрасивый парень, это выходит в лучшем случае неловко, а в худшем — как попытка оскорбить. Но красавчик... М-да.

Я вынула мобильный: без одной минуты пять. Круг уже заполнился несчастными душами от двенадцати до восемнадцати, и Патрик начал свою коротенькую молитву: «Господи, дай мне спокойствие принять то, что я не могу изменить, мужество изменить то, что в моих силах, и мудрость отличить одно от другого». Парень по-прежнему смотрел на меня. Я почувствовала, что краснею.

Вскоре я решила, что правильной стратегией будет пялиться в ответ. В конце концов, у парней нет монополии на пристальные взгляды. Пока Патрик в тысячный раз признавался в своей безъяицкости, я оглядела новенького с ног до головы, и между нами завязалось соревнование взглядов. Вскоре парень улыбнулся и отвел голубые глаза. Когда он снова посмотрел на меня, я подвигала бровями в знак того, что победа осталась за мной.

Он пожал плечами. Патрик продолжал свое. Настало время представиться.

— Айзек, может, ты сегодня начнешь? Я знаю, у тебя сейчас трудное время.

— Да, — согласился Айзек. — Меня зовут Айзек, мне семнадцать лет. Судя по всему, через две недели у меня будет операция, после которой я останусь слепым. Я не жалуюсь, многим приходится и хуже, но, понимаете, слепота — это такое дерьмо... Меня поддерживает моя девушка. И друзья. Огастус вот, например. — Он кивнул на новенького, у которого теперь появилось имя. — Так что вот так, — продолжал Айзек, глядя на свои руки, сложенные домиком. — И вы тут ничем не поможете.

— Мы рядом, Айзек, — сказал Патрик. — Пусть Айзек услышит нас, ребята.

И мы все повторили:

— Мы рядом, Айзек.

Настала очередь Майкла. Ему двенадцать, и у него лейкемия. У него всегда была лейкемия, но он в порядке. (Так он сказал. Вообще-то он спустился на лифте.)

Лиде шестнадцать, и уж на кого стоило заглядываться красавчику, так это на нее. Лида — старожил группы поддержки, у нее длительная ремиссия аппендикулярного рака — оказывается, есть и такой. Она заявила, как заявляла на каждом собрании группы поддержки, что чувствует себя *сильной*. Мне, с кислородными трубочками в ноздрях, это показалось наглым хвастовством.

До новенького говорили еще пятеро. Когда пришла его очередь, он слегка улыбнулся. Голос у него оказался низкий, прокуренный и потрясающе сексуальный.

— Меня зовут Огастус Уотерс, — представился он. — Мне семнадцать. Полтора года назад у меня был несерьезный случай остеосаркомы, а здесь я сегодня по просьбе Айзека.

— Как ты себя чувствуешь? — спросил Патрик.

— О, прекрасно! — Огастус Уотерс улыбнулся одним уголком рта. — Я в поезде американских горок, который едет только вверх, друг мой.

Пришла моя очередь.

— Меня зовут Хейзел, мне шестнадцать. Рак щитовидки с метастазами в легких. У меня все о'кей.

Заседание продолжалось бойко: сражения были подсчитаны, битвы в заранее проигранных войнах выиграны, поцеплялись за надежду, поругали и похвалили родителей, согласились, что друзьям не понять серьезности проблемы. Слезы были пролиты, утешение предложено. Ни Огастус, ни я не произнесли ни слова, пока Патрик не сказал:

— Огастус, возможно, ты хочешь поделиться с группой своими страхами?

— Моими страхами?

— Да.

— Я боюсь забвения, — тут же ответил он. — Как слепой из пословицы, который боялся темноты.

— Ну, это ты спешишь — улыбнулся Айзек.

— Что-то не так? — спросил Огастус. — Порой я слеп, как крот, к чувствам окружающих.

Айзек захохотал, но Патрик поднял вразумляющий перст и сказал:

— Огастус, пожалуйста, вернемся к *тебе* и *твоей* борьбе. Ты сказал, что боишься забвения?

— Сказал, — ответил Огастус.

Патрик растерялся.

— Не хочет ли кто, э-э, что-нибудь ответить на это?

Я не хожу в нормальную школу уже три года. Родители — два моих лучших друга. Третий лучший друг — автор, который не знает о моем существовании. Я очень замкнутая, не из тех, кто первым тянет руку.

Но на этот раз я вдруг решила высказаться. Я приподняла ладонь, и Патрик с нескрываемым удовольствием тут же сказал:

— Хейзел!

Он наверняка думал, что я начинаю раскрываться, становясь частью группы поддержки.

Я посмотрела на Огастуса Уотерса, глаза которого были такой синевы, что сквозь нее, казалось, можно что-то видеть.

— Придет время, — сказала я, — когда мы все умрем. Все. Придет время, когда не останется людей, помнящих, что кто-то вообще был и даже что-то делал. Не останется никого, помнящего об Аристотеле или Клеопатре, не говоря уже о тебе. Все, что мы сделали, построили, написали, придумали и открыли, будет забыто. Все это, — я обвела рукой собравшихся, — исчезнет без следа. Может, это время придет скоро, может, до него еще миллионы лет, но даже если мы переживем коллапс Солнца, вечно человечество существовать не может. Было время до того, как живые организмы осознали свое существование, будет время и после нас. А если тебя беспокоит неизбежность забвения, предлагаю тебе игнорировать этот страх, как делают все остальные.

Я узнала об этом от вышеупомянутого третьего лучшего друга, Питера ван Хаутена, писателя-отшельника, автора «Царского недуга», книги, ставшей для меня второй Библией. Питер ван Хаутен единственный а) понимал, что значит умирать, и б) еще не умер.

Когда я договорила, наступило долгое молчание. По лицу Огастуса расплылась улыбка — не та, с какой он вначале пялился на меня, стараясь выглядеть сексуальным, а настоящая улыбка, слишком широкая для его лица.

— Черт, — тихо произнес Огастус. — Ну ты даешь.

До конца заседания группы мы с ним больше не сказали ни слова. В конце все, как было заведено, взялись за руки, и Патрик стал читать молитву.

— Господь наш Иисус Христос, мы, борющиеся с раком, собрались здесь, *буквально в сердце Твоем*. Ты, и только Ты один, знаешь нас, как мы знаем себя; проведи же нас к жизни и свету через времена испытаний. Молим Тебя о глазах Айзека, о крови Майкла и Джейми, о костях Огастуса, о легких Хейзел, о горле Джеймса. Молим Тебя исцелить нас, позволить ощутить Твою любовь и Твой Божий покой, превосходящие всякое понимание. В наших сердцах мы храним память о тех, кого знали и любили и кто вернулся к Тебе в предвечный дом: Марию и Кейда, Джозефа и Хейли, Абигайль и Анджелину, Тейлора и Габриэль...

Список был длинным. В мире, знаете ли, очень много покойников. Пока Патрик зудел, читая имена по листочку, потому что список такой длины невозможно запомнить, я сидела с закрытыми глазами, пытаясь настроиться на благочестивый лад, но невольно представляя тот день, когда и мое имя попадет в этот список, в самый конец, когда уже никто не слушает.

Когда Патрик закончил, мы повторили вместе дурацкую мантру — ПРОЖИТЬ СЕГОДНЯ КАК ЛУЧШИЙ ДЕНЬ В ЖИЗНИ, и собрание закончилось. Огастус Уотерс, оттолкнувшись, встал со своего детского стула и подошел ко мне. Походка у него была кривовата, как и улыбка, — он прихрамывал.

— Как тебя зовут? — спросил он.

— Хейзел.

— Нет, полностью.

— Ну, Хейзел Грейс Ланкастер.

Огастус хотел что-то сказать, но тут подошел Айзек.

— Подожди, — попросил Огастус, подняв палец, и повернулся к Айзеку: — Слушай, это еще хуже, чем ты описывал.

— Я тебе говорил — тоска зеленая.

— Так чего ты сюда ходишь?

— Не знаю. Типа помогает.

Огастус наклонился к нему и спросил, думая, что я не слышу:

— Она постоянно ходит? — Айзека я не расслышала, но Огастус ответил: — Надо думать. — На секунду он сжал Айзеку плечи и тут же отступил от него на полшага. — Расскажи Хейзел, что врач сказал.

Айзек оперся о стол с печеньем и навел на меня свой огромный глаз.

— Сегодня утром я ездил в клинику и сказал хирургу, что предпочел бы быть глухим, чем слепым. А он заметил, что это не мне выбирать. Я ответил: да, конечно, это не мне выбирать, я просто говорю, что скорее согласился бы быть глухим, чем слепым, будь у меня выбор, которого, как я прекрасно понимаю, у меня нет. А он говорит: хорошая новость в том, что глухим ты не будешь. А я ему: спасибо, как вы замечательно мне растолковали, что от рака глаз я не оглохну. Ах, какое сказочное везение, что такой гигант мысли, как вы, снизойдет до проведения моей операции.

— Победа осталась за ним, — сказала я. — Надо будет тоже подхватить рак глаз, чтобы ознакомиться с твоим хирургом.

— Валяй. Ладно, мне пора. Моника ждет. Буду все время смотреть на нее, пока еще могу.

— «Карательные акции» завтра? — спросил Огастус.

— Да. — Айзек повернулся и побежал вверх по лестнице, перескакивая через две ступеньки.

Огастус Уотерс повернулся ко мне.

— Буквально, — сказал он.

— Буквально? — не поняла я.

— Мы буквально в сердце Иисуса, — сказал он. — Я думал, мы в церковном подвале, а мы буквально в сердце Иисуса.

— Кто-то должен Ему сказать, — хмыкнула я. — Это же опасно — держать в сердце больных раком детей.

— Я бы сказал Ему, — заверил Огастус, — но к сожалению, я буквально застрял у Него в сердце, так что Он меня не услышит.

Я засмеялась. Он покачал головой, глядя на меня.

— Что? — спросила я.

— Ничего, — ответил он.

— Почему ты на меня так смотришь?

Огастус чуть улыбнулся:

— Потому что ты красивая. Мне нравится смотреть на красивых людей. Некоторое время назад я решил не лишать себя простых радостей бытия. — Последовала неловкая пауза, которую преодолел Огастус. — Особенно если учесть, что все, как ты прелестно доказала, закончится забвением.

Я не то фыркнула, не то вздохнула, не то выдохнула с кашлем:

— Я не краси...

— Ты — как Натали Портман в двухтысячные. Как Натали Портман в фильме «V значит Вендетта».

— Никогда не видела, — сказала я.

— Правда? — спросил он. — Красивая стриженая девушка не признает авторитетов и влюбляется в парня — ходячую проблему. Насколько я могу судить, прямо твоя автобиография.

Каждый слог флиртовал. Честно говоря, он меня прямо-таки завел. А я и не знала, что меня возбуждают парни, — ну, в реальной жизни.

Мимо прошла маленькая девочка.

— Как дела, Алиса? — спросил он.

Она улыбнулась и промямлила:

— Привет, Огастус.

— «Мемориальные» ребятишки, — объяснил он. «Мемориалом» называлась большая исследовательская клиника. — А ты куда ходишь?

— В детскую, — ответила я неожиданно тонким голосом. Он кивнул. Разговор вроде подошел к концу. — Ну что ж, — сказала я, неопределенно кивая на лестни-

цу, выводившую из Буквального Сердца Иисуса, накло-
нила тележку, чтобы она встала на колесики, и пошла.
Огастус хромал сзади. — Увидимся в следующий раз?

— Обязательно посмотри «"V" значит Вендетта», —
напомнил он.

— О'кей, — согласилась я. — Посмотрю.

— Нет, со мной. У меня дома, — сказал он. — Сейчас.

Я остановилась.

— Я тебя почти не знаю, Огастус Уотерс. А вдруг ты
маньяк с топором?

Он кивнул:

— Честный ответ, Хейзел Грейс. — Он обогнал меня,
расправив плечи, натянувшие зеленую рубашку-поло,
и выпрямив спину. Он лишь чуть-чуть припадал на правую ногу, но уверенно и ровно шагал на том, что, как я
определила, было протезом. Остеосаркома обычно забирает конечность. Затем, если вы ей понравились, она
забирает остальное.

Я медленно двинулась за ним наверх, постепенно
отставая: подъем по ступенькам — вне сферы компе-
тенции моих легких.

Из сердца Иисуса мы вышли на парковку, на приятно свежий весенний воздух и под замечательно резкий дневной свет.

Мамы на парковке не оказалось, что было необычно — она почти всегда меня поджидала. Осмотревшись,
я увидела, как высокая фигуристая брюнетка прижи-
мает Айзека к каменной стене церкви и довольно агрессивно его целует. Все происходило достаточно близко, и до меня доносились причмокивающие звуки. Айзек спрашивал: «Всегда?» — и девушка отвечала:
«Всегда».

Неожиданно оказавшись рядом со мной, Огастус вполголоса сказал:

— Они свято верят в публичное выражение нежных чувств.

— А при чем тут «всегда»?

Чавкающие звуки стали громче.

— Это их фишка. Они *всегда* будут любить друг друга и все такое. По моей скромной оценке, в их сообщениях за прошлый год слово «всегда» встречалось более четырех миллионов раз.

Отъехала еще пара машин, забрав Майкла и Алису. Остались только мы с Огастусом — наблюдать за Айзеком и Моникой, которые шустро продолжали, будто и не у стены культового сооружения. Он крепко держал ее за грудь поверх рубашки, причем ладонь оставалась неподвижной, а пальцы шарили по кругу. Интересно, это приятно? Мне так не показалось, но я решила быть снисходительной к Айзеку на том основании, что вскоре он станет слепым. Чувства должны пировать, пока есть голод, да и вообще.

— Представляешь, каково в последний раз ехать в больницу, — тихо сказала я. — В последний раз вести машину...

Не глядя на меня, Огастус произнес:

— Сбиваешь мне все настроение, Хейзел Грейс. Я же наблюдаю за молодой страстью в ее многопрелестной неуклюжести!

— По-моему, у нее будет синяк, — предположила я.

— Да, не поймешь, то ли он старается ее возбудить, то ли проводит маммологический осмотр. — Огастус Уотерс сунул руку в карман и вытащил, не поверите, пачку сигарет. Открыв пачку, он сунул сигарету в рот.

— Ты что, *серьезно*? — спросила я. — Возомнил, что это круто? Боже мой, ты только что *все* испортил!

— А что *все*? — спросил он, поворачиваясь ко мне. Незажженная сигарета свисала из неулыбающегося уголка его рта.

— Все — это когда парень, не лишенный ума и привлекательности, по крайней мере на первый взгляд, смотрит на меня недопустимым образом, указывает на неверное истолкование буквальности, сравнивает меня с актрисами, приглашает посмотреть кино к себе домой. Но без *гамартии* нет человека, и ты, блин, несмотря на то что у тебя рак, отдаешь деньги табачной компании в обмен на возможность получить еще одну разновидность рака. О Боже! Позволь тебя заверить: невозможность вздохнуть полной грудью — ОЧЕНЬ ДЕРЬМОВАЯ ШТУКА! Полное разочарование. Полное.

— Что такое *гамартия*? — спросил он, все еще держа сигарету губами. Подбородок у него напрягся. К сожалению, у него был прекрасный волевой подбородок.

— Фатальный изъян, — объяснила я, отворачиваясь.

Я отошла к обочине, оставив Огастуса Уотерса позади, и услышала звук приближающейся машины. Мама, кто же еще. Ждала, пока я заведу друзей.

Меня посетило странное чувство — разочарование пополам с негодованием, затопляющее изнутри. Я даже точно не назову это чувство, скажу лишь, что его было много; мне одновременно хотелось поцеловать Огастуса Уотерса и заменить свои легкие на здоровые, которые дышат. Я стояла на краю тротуара в своих кедах, прикованная к тележке с баллоном кислорода, как каторжник к ядру. Когда мама уже подъезжала, я почувствовала, как кто-то схватил меня за руку.

Руку я выдернула, но обернулась.

— Они не убивают, если их не зажигать, — сказал Огастус, когда мама затормозила у обочины. — А я в жизни ни одной не зажег. Это метафора, вот смотри: ты держишь в зубах смертельно опасную дрянь, но не даешь ей возможности выполнить свое смертоносное предназначение.

— Метафора? — засомневалась я. Мама ждала, не выключая двигатель.

— Метафора, — подтвердил Огастус.

— Ты выбираешь линию поведения на основании метафорического резонанса? — предположила я.

— О да, — улыбнулся он широко, искренне и настояще. — Я очень верю в метафоры, Хейзел Грейс.

Я повернулась к машине и постучала по стеклу. Оно опустилось.

— Я иду в кино с Огастусом Уотерсом, — сказала я. — Пожалуйста, запиши для меня следующие серии «Топ-модели по-американски».

Глава 2

Водил Огастус Уотерс ужасающе. И трогался, и останавливался резкими рывками. Когда «тойота»-внедорожник тормозила, я всякий раз чуть не вылетала из-под ремня, а когда он давил на газ, ударялась затылком о подголовник. Мне бы занервничать — сижу в машине со странным парнем, еду к нему домой, отчетливо ощущая, как мои никуда не годные легкие мешают вовремя предугадать полеты над сиденьем, но Огастус так поразительно плохо вел машину, что ни о чем другом я думать не могла.

Мы проехали примерно милю в таком вот молчании, когда Огастус решил признаться:

— Я три раза заваливал экзамен на права.

— Да не может быть.

Он засмеялся, кивая:

— Я же не чувствую, насколько старый добрый протез давит на педаль, а с левой ноги водить не научился. Врачи говорят, большинство после ампутации водят без проблем, но... не я. Пошел сдавать в четвертый раз, чувствую, фигня. — В полумиле впереди загорелся красный. Огастус ударил по тормозам, бросив меня в треугольные объятия ремня безопасности. — Прости, видит бог, я старался нежнее. Ну так вот в конце экзамена я уже не сомневался, что снова провалился, а инструктор говорит: «Манера вождения у вас неприятная, но, строго говоря, не опасная».

— Не могу согласиться, — сказала я. — Похоже, тут имел место раковый бонус.

Раковые бонусы — это поблажки или подарки, которые детям с онкологией достаются, а здоровым нет: баскетбольные мячи с автографами чемпионов, свободная сдача домашних заданий (без снижения за опоздание), незаслуженные водительские права и тому подобное.

— Ага, — подтвердил Огастус. Загорелся зеленый. Я приготовилась к рывку. Огастус ударил по газам.

— Знаешь, а ведь для тех, кто не владеет ногами, выпускаются машины с ручным управлением, — сообщила я.

— Знаю, — согласился Огастус. — Может, потом. — Он вздохнул, словно не был уверен в существовании этого «потом». Остеосаркому сейчас успешно лечат, но всякое бывает.

Есть способы узнать приблизительную продолжительность жизни собеседника, не спрашивая напрямую. Я испробовала классический:

— А в школу ты ходишь?

Как правило, родители забирают тебя из школы, если считается, что тебе каюк.

— Да, — ответил он. — В Норт-сентрал. Правда, на год отстал, я в десятом. А ты?

Меня посетило искушение солгать — кому понравится ходячий труп, но все же я сказала правду.

— Нет, родители забрали три года назад.

— Три года? — в изумлении переспросил он.

Я в подробностях расписала историю своего чуда: в тринадцать лет у меня обнаружили рак щитовидки четвертой степени (я не сказала Огастусу, что диагноз поставили через три месяца после первой менструации. Получилось вроде как — поздравляем, ты взрослая, а теперь можешь подыхать). Нам сказали — случай некурабельный.

Мне сделали операцию «радикальное иссечение клетчатки шеи», столь же «приятную», как ее название. Потом курс облучения. Потом химию против метастазов в легких. Метастазы уменьшились, потом снова выросли. Мне тогда было четырнадцать. Легкие начали наполняться жидкостью. Я выглядела конкретным трупом: кисти и стопы отекли, кожа потрескалась, губы постоянно были синие. Появилось лекарство, которое позволяло чуть меньше ужасаться невозможности дышать, и мне лили его целыми литрами через ЦВК* вместе с десятком других медикаментов. Очень неприятно захлебываться раковым экссудатом, особенно после нескольких месяцев с этим катетером. В конце концов я загремела с пневмонией в отделение интенсивной терапии. Мама стояла на коленях рядом с койкой и повторяла: «Ты готова, детка?» — я говорила — да, готова, отец повторял, что любит меня, и его голос почти не дрожал, потому что давно сел, а я повторяла, что тоже его люблю, и мы все держались за руки, и я не могла отдышаться, и легкие работали на пределе, и я задыхалась и приподнималась на койке, стараясь найти положение, в котором они смогли бы наполниться воздухом, и меня озадачивало отчаянное упорство собственных легких и бесило, что они не желают просто сдаться,

---

* Центральный венозный катетер.

и мама говорила, что все о'кей, что со мной все о'кей и будет о'кей, а папа так старался сдерживать рыдания, что, когда это ему не удавалось (через равные промежутки времени), он дергался всем телом, вызывая в палате маленькое землетрясение. Помню, я не хотела, чтобы меня будили.

Все решили, что я пешком отправляюсь на тот свет, но мой онколог, доктор Мария, смогла откачать жидкость из легких, а вскоре подействовали антибиотики, которые мне кололи от пневмонии.

Очнувшись, я попала в одну из экспериментальных программ, которые в Раковой Республике известны тем, что не работают. Экспериментальное лекарство, которое мне давали, называлось фаланксифор: его молекулам полагалось прикрепляться к раковым клеткам и замедлять их рост. Семидесяти процентам больных фаланксифор не помогал. А мне помог — опухоли в легких уменьшились.

И больше не росли. Виват, фаланксифор! За последние полтора года метастазы практически не увеличились, оставив мне легкие, которые не способны толком дышать, но по прогнозам продержатся неопределенный период времени с помощью подаваемого кислорода и ежедневного приема фаланксифора.

Разумеется, мое раковое чудо лишь купило мне немного времени (сколько именно, сказать никто не может). Но в разговоре с Огастусом Уотерсом я расписала перспективы самыми розовыми красками, приукрасив масштабы чуда.

— Значит, ты снова пойдешь в школу, — подытожил он.

— Вообще-то не пойду, — сказала я. — Я уже получила аттестат. Я учусь в нашем общинном колледже.

— Студентка, — кивнул Огастус Уотерс. — Вот чем объясняется аура учености.

Он смеялся надо мной. Я шутливо пихнула его в плечо, ощутив прекрасные упругие мышцы.

Под визг покрышек мы свернули в переулок с оштукатуренными стенами высотой футов восемь. Дом Уотерсов оказался первым слева — двухэтажный, в колониальном стиле. Мы рывком затормозили на подъездной дорожке.

Я вошла за Огастусом в дом. Деревянная табличка над дверью с гравировкой курсивом «Дом там, где сердце» оказалась лишь началом: подобными изречениями пестрел весь дом. «Хороших друзей трудно сыскать и невозможно забыть», — заверяла настенная вешалка. «Настоящая любовь рождается в трудные времена», — говорила вышитая подушка в гостиной, обставленной антикварной мебелью. Огастус перехватил мой взгляд.

— Родители называют их «ободрениями», — пояснил он. — Они тут повсюду.

Отец с матерью называли его Гасом. Они на кухне готовили энчилады (над раковиной висела пластинка витражного стекла с пузырчатыми буквами «Семья навсегда»). Мать клала на тортильи курятину, а отец их сворачивал и помещал в стеклянную форму для выпекания. Они не удивились моему приходу, что имело смысл: если Огастус дал мне почувствовать себя *особенной*, это не значит, что так оно и есть на самом деле. Может, он каждый день водит домой девушек смотреть фильмы и поднимать им настроение.

— Это Хейзел Грейс, — представил он меня.

— Просто Хейзел, — поправила я.

— Как дела, Хейзел? — спросил отец Гаса. Он был высоким, почти как Гас, и тощим. Мужчины в его возрасте редко такими бывают.

— О'кей, — ответила я.

— Как там группа поддержки Айзека?

— Обалдеть, — саркастически отозвался Гас.

— Ну ты вечно всем недоволен, — пожурила его мать. — Хейзел, а тебе там нравится?

Я помолчала секунду, решая, как откалибровать ответ: чтобы понравиться Огастусу или его родителям?

— Большинство участников очень отзывчивые, — произнесла я наконец.

— Именно такое отношение мы встретили в семьях в «Мемориале», когда Гас там лежал, — поделился его отец. — Все были такими добрыми. И сильными. В черные дни Господь посылает в нашу жизнь лучших людей.

— Скорее дайте мне подушку и нитки, эту фразу нужно вышить и сделать ободрением, — вскричал Огастус. Отцу это не понравилось, но Гас обнял его длинной рукой за шею и сказал:

— Шучу, пап. Я высоко ценю ваши долбаные ободрения. Признать это открыто мешает переходный возраст.

Отец только сделал круглые глаза.

— Поужинаешь с нами? — спросила мама Гаса, миниатюрная брюнетка, похожая на мышку.

— Наверное, — ответила я. — Только мне домой к десяти. И я, это, не ем мяса.

— Нет проблем, сделаем несколько вегетарианских энчилад, — сказала она.

— Так сильно любишь животных? — поинтересовался Гас.

— Просто хочу минимизировать число смертей, за
которые несу ответственность, — пояснила я.

Гас открыл рот что-то ответить, но передумал.

Паузу поспешила заполнить его мать:

— Я считаю, это замечательно.

Они немного поговорили о том, что сегодняшние
энчилады — это фирменное блюдо Уотерсов, Которое
Нельзя Не Попробовать, и они с мужем тоже требуют
от Гаса приходить не позже десяти, и как они инстин-
ктивно не доверяют людям, у которых дети приходят
не в десять, и будь я в школе... — «Она уже в колледже», — вставил Гас, — и погода стоит совершенно не-
обыкновенная для марта, и весной все кажется перво-
зданно новым, и они ни разу не спросили меня о кис-
лородном баллоне или диагнозе, что было необычно и
приятно, а потом Огастус объявил:

— Мы с Хейзел посмотрим «"V" значит Вендетта».
Хочу показать ее киношного двойника, Натали Портман образца двухтысячного года.

— Телевизор в гостиной к вашим услугам, — с энтузиазмом сказал его отец.

— А почему не в подвале?

Отец засмеялся:

— Еще чего. Идите в гостиную.

— Но я хочу показать Хейзел Грейс подвал, — настаивал Огастус.

— Просто Хейзел, — поправила я.

— Покажи просто Хейзел подвал, — согласился
отец, — а потом поднимайтесь и смотрите свой фильм
в гостиной.

Огастус надул щеки, встал на ногу и покрутил за-
дом, выбрасывая протез вперед.

— Прекрасно, — пробормотал он.

Я спустилась за ним по ступенькам с ковровой дорожкой в подвальное помещение и оказалась в огромной спальне. Полка, обегавшая комнату на уровне глаз, была уставлена баскетбольными призами: больше десятка пластиковых позолоченных статуэток мужчин в прыжке, ведущих мяч или делающих бросок в невидимую корзину. Были на полке и подписанные мячи и кроссовки.

— Я раньше в баскетбол играл, — объяснил Гас.

— Вижу, что очень успешно.

— Да, в последних не ходил, но кроссовки и мячи — это все раковые бонусы. — Он подошел к телевизору, где гора DVD и видеоигр отдаленно напоминала пирамиду, и, нагнувшись, вытащил «Вендетту».

— Я, можно сказать, был типичным белым уроженцем Индианы, — сказал он. — Увлекался воскрешением утерянного искусства бросать мяч из статического положения со средней дистанции. Но однажды я отрабатывал броски сериями — стоял на линии штрафного броска в спортзале Норт-сентрал, кидал мячи со стойки — и неожиданно перестал понимать, для чего я методично бросаю сферические предметы через тороидальный объект. Мне вдруг показалось, что я занимаюсь несусветной глупостью. Я вспомнил о маленьких детях, которые целыми месяцами снова и снова просовывают цилиндрик через круглую дырку, и решил: баскетбол — всего лишь более аэробная версия такой же ерунды. В тот раз я очень долго не промахивался — забросил подряд восемь мячей в корзину, мой лучший результат, но, бросая мячи, я все больше чувствовал себя двухлетним. И с тех пор я отчего-то начал думать о беге с препятствиями. Тебе плохо?

Я присела на угол неубранной кровати. Я ни на что не намекала, просто я устаю, когда приходится долго стоять. Я стояла в гостиной, затем были ступеньки, потом опять стояла, суммарного стояния для меня оказалось слишком много, а я не хотела падать в обморок. Обмороками я напоминала леди Викторианской эпохи.

— Нормально, — успокоила я. — Заслушалась. Значит, бег с препятствиями?

— Да. Сам не знаю почему. Я начал думать о забегах с прыжками через эти сомнительные препятствия на дорожках. Мне пришло в голову, что про себя бегуны думают — дело пошло бы быстрее, убери они эти барьеры.

— Это было до постановки диагноза? — спросила я.

— Ну, и это тоже. — Он улыбнулся половинкой рта. — День экзистенциально наполненных штрафных бросков случайно совпал с последним днем моей двуногости. Между назначением ампутации и операцией пришлись выходные. Так что я отчасти понимаю, что сейчас чувствует Айзек.

Я кивнула. Огастус Уотерс мне нравился. Очень-очень нравился. Мне понравилось, что свой рассказ он закончил не на себе. Мне нравился его голос. Мне нравилось, что он выполнял экзистенциально наполненные штрафные броски. Мне нравилось, что он штатный профессор кафедры Слегка Асимметричных Улыбок и — на отделении дистанционного обучения — кафедры Голоса, от которого моя кожа становилась чем-то большим, нежели просто кожа. И мне нравилось, что у него два имени. Мне всегда нравились люди с двумя именами — можно выбирать, как называть: Гас или Огастус. Сама я всегда была Хейзел, безвариантная Хейзел.

— У тебя братья-сестры есть? — спросила я.

— А? — Он растерянно взглянул на меня.

— Ну, ты говорил о наблюдении за детской игрой...

— А, да нет. Племянники есть, от сводных сестер, они намного старше. Па-ап, сколько сейчас Джулии и Марте?

— Двадцать восемь!

— Им по двадцать восемь. Живут в Чикаго. Обе вышли замуж за очень крутых юристов. Или банковских служащих, не помню. А у тебя есть брат или сестра?

Я отрицательно покачала головой.

— А какая у тебя история? — спросил он, присаживаясь на кровать на безопасном расстоянии.

— Я уже рассказывала. Мне поставили диагноз, когда мне было...

— Нет, не история болезни. *Твоя* история. Интересы, увлечения, страсти, фетиши и тому подобное.

— Хм, — задумалась я.

— Только не говори, что ты одна из тех, кто превратился в собственную болезнь. Я таких много знаю. От этого просто руки опускаются. Рак — растущий бизнес, занимающийся поглощением людей, но зачем же уступать ему досрочно?

Мне пришло в голову, что я, пожалуй, так и сделала. Я не знала, как преподнести себя Огастусу в выгодном свете, какие склонности и увлечения сказали бы в мою пользу, и в наступившей тишине мне вдруг показалось, что я не очень интересная.

— Я самая обыкновенная.

— Отвергаю с ходу. Подумай, что тебе нравится? Первое, что придет на ум.

— Ну... чтение.

— А что читаешь?

— Все. От дешевых романов до претенциозной прозы и поэзии. Что попадется.

— А сама стихи пишешь?

— Этого еще не хватало!

— Ну вот! — воскликнул Огастус Уотерс. — Хейзел Грейс, ты единственный подросток в Америке, кто предпочитает читать стихи, а не писать их. Это мне о многом говорит. Ты читаешь много хороших книг, книг с большой буквы?

— Ну наверное.

— А любимая какая?

— Хм, — ответила я.

Среди любимых у меня с большим отрывом лидирует «Царский недуг», но я не хочу говорить о ней людям. Иногда прочтешь книгу, и она наполняет тебя почти евангелическим пылом, так что ты проникаешься убеждением — рухнувший мир никогда не восстановится, пока все человечество ее не прочитает. Но есть книги вроде «Царского недуга», о которых ты не можешь говорить вслух: это книги настолько особые, редкие и *твои*, что объявить о своих предпочтениях кажется предательством.

Это даже не то чтобы блестяще написанное произведение. Просто автор, Питер ван Хаутен, понимает меня до странности и невероятности. «Царский недуг» — моя книга, так же как мое тело — это мое тело, а мои мысли — это мои мысли.

Решившись, я сказала Огастусу:

— А любимая, наверное, «Царский недуг».

— Там зомби есть? — спросил он.

— Нет, — ответила я.

— А штурмовики?

Я покачала головой:

— Эта книга не об этом.

Огастус улыбнулся:

— Я прочту эту жуткую книгу со скучным названием, в которой даже нет штурмовых отрядов, — пообещал он. Я сразу пожалела о своей откровенности. Огастус обернулся к стопке книг на тумбочке у кровати. Взяв одну, в мягкой обложке, он занес над ней ручку и написал что-то на титульном листе.

— Все, о чем я прошу взамен, — сказал он, — прочитай этот блестящий и запоминающийся роман по мотивам моей любимой видеоигры.

Он подал мне книгу «Цена рассвета». Я рассмеялась и взяла. Наши руки задержались на книге, соприкоснулись, и Огастус взял меня за руку.

— Холодная, — сказал он, прижав палец к моему бледному запястью.

— Это от недостаточной оксигенации, — решила сумничать я.

— Обожаю, когда ты говоришь со мной на медицинском языке. — Огастус встал и потянул меня за собой, он не отпускал руку, пока мы не подошли к лестнице.

Фильм мы смотрели, сидя в нескольких дюймах друг от друга. Чувствуя себя совершенно как в средней школе, я положила руку на диван между нами, намекая — я не против, если Огастус ее пожмет. Но он даже не попытался. Час спустя после начала фильма вошли его родители и принесли нам энчилады, которые мы съели на диване. Они и в самом деле оказались очень вкусными.

Фильм был о герое в маске, мужественно погибающем за Натали Портман, которая оказалась той еще стервой, очень красивой и нисколько не похожей на меня с моим пухлым от стероидов лицом.

Когда пошли титры, Огастус сказал:

— Здорово, правда?

— Здорово, — согласилась я, хотя так не считала. Это фильм для мальчишек. Не понимаю, отчего мальчишки ожидают, что нам понравятся их фильмы. Мы же не ждем, что они проникнутся девчачьим кино. — Мне домой пора. С утра занятия.

Я сидела на диване, пока Огастус искал ключи. Его мать подсела ко мне и произнесла:

— Мне оно тоже очень нравится.

Я спохватилась, что бездумно разглядываю ободрение над телевизором, изображающее ангела с подписью «Без боли как бы познали мы радость?».

(Глупость и примитивность этого избитого аргумента из области «Подумай о страданиях» разобрали по косточкам много веков назад; я ограничусь напоминанием, что существование брокколи никоим образом не влияет на вкус шоколада.)

— Да. Премилая мысль.

По дороге домой за руль села я, отправив Огастуса на пассажирское сиденье. Он поставил свою любимую группу «Лихорадочный блеск». Песни были хорошие, но я слушала их в первый раз, и мне они не так понравились, как Огастусу. Я посматривала на его ногу, вернее, на то место, где была его нога, пытаясь представить, как выглядит протез. Я не хотела об этом думать, но отчего-то думала. А он, наверное, размышлял про мой кислородный баллон. Я давно поняла — болезнь отталкивает, и подозревала, что Огастус тоже это знал.

Когда я подъехала к своему дому, Огастус выключил музыку. В воздухе повисло напряжение. Он, наверное,

раздумывал о том, поцеловать меня или нет, а я спеш-
но решала, хочу я этого или не очень. Я целовалась с
мальчишками, но это было давно, до Чуда.

Я припарковалась и покосилась на Огастуса. Он был
очень красив. Мальчишкам красота не обязательна, но
он правда был красавец.

— Хейзел Грейс, — сказал он. Мое имя прозвучало
по-новому и удивительно красиво. — Знакомство с вами
оказалось истинным удовольствием.

— И вам того же, мистер Уотерс, — поддержала игру
я, не решаясь взглянуть на него. Я не могла выдержать
пристального взгляда его голубых, как вода, глаз.

— Могу я снова тебя увидеть? — попросил он с под-
купающим волнением в голосе.

— Конечно, — улыбнулась я.

— Завтра? — спросил он.

— Терпение, кузнечик, — посоветовала я. — Ты же
не хочешь показаться чересчур напористым.

— Не хочу, поэтому и предлагаю завтра, — сказал
Огастус. — Я хотел бы увидеть тебя снова уже сегодня,
но готов ждать всю ночь и большую часть завтрашнего
дня. — Я вытаращила глаза. — Серьезно.

— Ты ведь меня совсем не знаешь, — пошла на по-
пятную я, забирая книгу с центральной консоли. — Позвоню, когда дочитаю.

— У тебя нет моего телефона, — напомнил он.

— Подозреваю, ты написал его на титульном листе.
Огастус расплылся в дурацкой улыбке:

— А еще говоришь, мы плохо знаем друг друга!

Глава 3

Я не ложилась допоздна, читая «Цену рассвета» (осторожно, спойлер: цена рассвета — кровь). Это, конечно, не «Царский недуг», но главный герой, старший сержант Макс Мейхем, мне чем-то смутно понравился, хотя и убил, по моим подсчетам, не менее ста восемнадцати человек на двухстах восьмидесяти четырех страницах.

Поэтому утром в четверг я проснулась поздно. Маминой политикой было никогда меня не будить: одно из стандартных требований к должности профессионального больного — много спать, поэтому в первую секунду я ничего не поняла, проснувшись от того, что мама легонько встряхивала меня за плечи.

— Уже почти десять, — сообщила она.

— Сон борется с раком, — ответила я. — Я зачиталась.

— Должно быть, интересная книжка, — сказала мама, опускаясь на колени у кровати и отвинчивая меня от большого прямоугольного концентратора кислорода, который я называла Филиппом (ну он чем-то походил на Филиппа).

Мама подключила меня к переносному баллону и напомнила, что у меня занятия.

— Тебе тот мальчик это передал? — вдруг спросила она ни с того ни с сего.

— «Это» означает герпес?

— Ты заговариваешься. Книгу, Хейзел, «это» означает книгу.

— Да, книгу дал мне он.

— Я сразу увидела, что он тебе нравится, — изрекла мама, приподняв брови, будто подобный вывод требовал уникального материнского инстинкта. Я пожала плечами. — Вот видишь, и от группы поддержки есть польза.

— Ты что, весь час на шоссе ждала?

— Да. У меня с собой была работа... Ладно, пора встречать новый день, юная леди.

— Мам. Сон. Борется. С. Раком.

— Дорогая, но ведь есть и занятия, которые надо посещать. К тому же сегодня... — В мамином голосе явственно слышалось ликование.

— Четверг?

— Неужели ты не помнишь?

— Ну не помню, а что?

— Четверг, двадцать девятое марта! — буквально завопила она с безумной улыбкой на лице.

— Ты так рада, что знаешь дату? — заорала я ей в тон.

— ХЕЙЗЕЛ! СЕГОДНЯ ТВОЙ ТРИДЦАТЬ ТРЕТИЙ ПОЛУДЕНЬ РОЖДЕНИЯ!

— О-о-о, — протянула я.

Вот что мама действительно умеет, так это найти повод для праздника. СЕГОДНЯ ДЕНЬ ДЕРЕВА! ДАВАЙТЕ ОБНИМАТЬ ДЕРЕВЬЯ И ЕСТЬ ТОРТ! КОЛУМБ ЗАВЕЗ ИНДЕЙЦАМ ОСПУ, УСТРОИМ ПИКНИК В ЧЕСТЬ ЭТОГО СОБЫТИЯ!

— Ну что ж, поздравляю себя с тридцать третьим полуднем рождения.

— Чем ты хочешь заняться в такой особенный день?

— Вернуться домой с занятий и установить мировой рекорд по непрерывному просмотру выпусков «Адской кухни».

С полки над моей кроватью мама взяла Блуи, синего плюшевого мишку, который у меня, наверное, лет с полутора, когда еще допустимо называть друзей по цвету.

— Не хочешь сходить в кино с Кейтлин, или Мэттом, или еще с кем-нибудь?

То есть с моими друзьями.

Идея мне неожиданно понравилась.

— И правда, — поддержала я. — Сброшу Кейтлин сообщение, не хочет ли она сходить в молл после уроков.

Мама улыбнулась, прижимая мишку к животу.

— А что, ходить в молл — это все еще круто?

— Я очень горжусь своим незнанием того, что круто, а что нет, — ответила я.

Я написала Кейтлин, приняла душ, оделась, и мама отвезла меня на американскую литературу, на лекцию о Фредерике Дугласе в почти пустой аудитории. Было очень трудно не заснуть. Через сорок минут после начала полуторачасовой лекции пришло сообщение от Кейтлин:

«Суперкруть. Поздравляю с полднем! В Каслтоне в 15.32?»

У Кейтлин бурная жизнь, которую приходится расписывать по минутам. Я ответила:

«Здорово. Жду там, где кафешки».

* * *

После занятий мама отвезла меня в книжный, примыкающий к моллу, где я купила «Полуночные рассветы» и «Реквием по Мейхему», два первых сиквела к «Цене рассвета». В огромном фуд-корте я взяла диетическую колу. На часах было три двадцать одна.

Я начала читать, поглядывая на детей, игравших на детской площадке в виде пиратского корабля. Двое ребятишек без устали раз за разом пролезали сквозь один и тот же тоннель, и я снова подумала об Огастусе Уотерсе и его экзистенциально наполненных штрафных бросках.

Мама тоже ждала у кафешек, сидя в одиночестве в углу, где, как ей казалось, я не могу ее видеть, ела сандвич со стейком и сыром и листала какие-то бумаги. Наверное, медицинские. Бумаг была пропасть.

Ровно в три тридцать две мимо «Вок-Хауса» уверенным шагом прошла Кейтлин. Меня она увидела, когда я подняла руку. Сверкнув очень белыми, недавно выпрямленными зубами, Кейтлин направилась ко мне.

Грифельно-серое пальто до колен сидело идеально, огромные темные очки закрывали большую половину лица. Подойдя ко мне обниматься, Кейтлин сдвинула их на макушку.

— Дорогая, — сказала она с еле уловимым британским акцентом, — как ты?

Люди не считали ее акцент странным или неприятным. Кейтлин — умнейшая двадцатипятилетняя британская светская львица, случайно попавшая в тело шестнадцатилетней школьницы из Индианаполиса. Все с этим смирились.

— Хорошо. А ты как?

— Уже и не знаю. Диетическая? — Я кивнула и протянула ей бутылочку. Кейтлин отпила через соломинку. — Очень жалею, что ты не ходишь в школу. Некоторые мальчики стали, можно сказать, вполне съедобными.

— Да что ты? Например? — заинтересовалась я.

Кейтлин назвала пятерых парней, которых я знала с начальной школы, но не могла представить их взрослыми.

— Я уже некоторое время встречаюсь с Дереком Веллингтоном, — поделилась она, — но вряд ли это продлится долго. Он еще такой мальчишка... Но хватит обо мне. Что нового в Хейзелсити?

— Да ничего, — ответила я.

— Здоровье как?

— Все по-прежнему.

— Фаланксифор! — восторженно вскричала она, улыбаясь. — Теперь ты сможешь жить вечно!

— Ну, не вечно, — заметила я.

— Но в целом что еще нового?

Мне захотелось сказать, что я тоже встречаюсь с мальчиком, по крайней мере смотрела с ним фильм, и утереть Кейтлин нос фактом, что такая растрепанная, неуклюжая и чахлая особа, как я, способна, пусть и ненадолго, завоевать привязанность мальчишки. Но хвастаться мне было особо нечем, поэтому я просто пожала плечами.

— А это что такое, скажи на милость? — спросила Кейтлин, показывая на книжку.

— Так, научная фантастика. Я немного увлеклась. Это целая серия.

— Я в шоке. Ну что, пошли по магазинам?

Мы отправились в обувной. Кейтлин принялась выбирать для меня балетки с открытым носом, повторяя: «Тебе они пойдут». Я вспомнила, что сама Кейтлин никогда не носит босоножки, потому что ненавидит свои ступни, считая вторые пальцы на ногах слишком длинными. Можно подумать, второй палец ноги — это окно в душу или еще что-нибудь важное. Поэтому, когда я выбрала ей босоножки, прекрасно подходившие к загорелой коже, она замялась: «Да, но...» — в том смысле, что «в них же все увидят мои ужасные вторые пальцы». Я сказала:

— Кейтлин, ты единственная из моих знакомых страдаешь дисморфией пальцев ног.

— Это как? — спросила Кейтлин.

— Ну когда ты смотришь в зеркало, ты видишь там не то, что на самом деле.

— А-а, — протянула она. — А такие тебе нравятся? — Она сняла с полки красивые, но неброские «Мэри Джейнс», и я кивнула. Она нашла свой размер, надела и принялась расхаживать по проходу, глядя на свои ноги в наклонные зеркала у пола. Затем Кейтлин схватила вызывающие туфли с ремешками.

— Неужели кто-то в таких ходит? Умереть можно! — воскликнула она, но тут же осеклась и посмотрела на меня виновато, словно говорить о смерти в присутствии умирающего — преступление.

— Примерь, — предложила Кейтлин, стараясь сгладить неловкость.

— Лучше смерть, — отказалась я.

В конце концов я взяла пару шлепанцев, чтобы хоть что-то купить, и сидела теперь на скамейке напротив полок с обувью, глядя, как Кейтлин бегает по проходам, с сосредоточенностью шахматиста выбирая туфли. Мне захотелось достать «Полуночные рассветы» и почитать, но я понимала, что это невежливо, поэтому я смотрела на Кейтлин. Она то и дело возвращалась ко мне, сжимая добычу с закрытыми мысками, и спрашивала: «Эти?» — а я пыталась сказать что-нибудь умное о данной модели. В конце концов она купила три пары, я заплатила за свои шлепанцы, и она предложила:

— Ну что, в «Антрополоджи»?

— Я, наверное, поеду домой, — отказалась я. — Что-то устала.

— Да-да, конечно. Надо нам чаще встречаться, дорогая. — Она взяла меня за плечи, расцеловала в обе щеки и зашагала прочь, покачивая узкими бедрами.

Но домой я не поехала. Я просила маму забрать меня в шесть, и пока она, по моим расчетам, находилась в молле или на парковке, у меня оставались два часа личной свободы.

Маму я люблю, но ее постоянная близость порой вызывает у меня непонятную нервозность. И Кейтлин я тоже люблю, правда, но за три года без нормального общения со сверстниками я отдалилась от них, и мост через возникшую пропасть не перекинуть. Школьные подруги, конечно, хотели помочь мне вылечиться от рака, но вскоре убедились, что это не в их власти. Рак у меня никогда не пройдет.

Поэтому я отговорилась сейчас усталостью и болью, как часто делала при встречах с Кейтлин и другими. Сказать по правде, больно мне всегда. Больно не иметь возможности дышать, как нормальный человек, больно постоянно напоминать легким, чтобы выполняли свою работу, принимать как неизбежность дерущую, царапающую, мучительно знакомую боль кислородной недостаточности. Строго говоря, я не солгала, а просто выбрала одну из истин.

Присмотрев скамейку между магазинчиком ирландских сувениров, «Империей чернильных ручек» и киоском с бейсбольными кепками — сюда Кейтлин никогда не заглянет, — я начала читать «Полуночные рассветы».

Соотношение трупов и предложений в этой книжке было приблизительно один к одному, и я неслась сквозь текст не отрываясь. Мне нравился старший сержант Макс Мейхем, хотя в нем было мало индивидуального, мне нравилось, что его приключения продолжаются. Всегда были плохие парни, которых требовалось прикончить, и хорошие, которых нужно было спасти. Новые войны начинались еще до окончания старых. В детстве я не читала серийную фантастику, и жить в бесконечном вымысле оказалось интересно.

За двадцать страниц до конца «Полуночных рассветов» Мейхему пришлось несладко — он получил семнадцать пуль, спасая заложницу (американку, блондинку) от Врага. Но как читатель я не отчаивалась. Война продолжится и без него. Возможно — да что там, обязательно, — появятся сиквелы о его команде: младшем сержанте Мэнни Локо, рядовом Джаспере Джексе и других.

Я почти дочитала, когда маленькая девочка с бантиками в косичках подошла ко мне и спросила:

— А что у тебя в носу?

Я ответила:

— Это называется канюля. Трубки дают мне кислород, помогая дышать.

Подкатила ее мамаша и неодобрительно крикнула: «Джеки!» — но я заверила: «Ничего, ничего», — потому что и в самом деле ничего такого в ее вопросе не было.

Джеки попросила:

— А мне они тоже помогут дышать?

— Не знаю, давай попробуем! — Я сняла канюлю с ушей и позволила Джеки сунуть трубки в нос.

— Щекотно, — засмеялась она.

— Я знаю.

— Кажется, мне легче дышится, — сказала она.

— Да?

— Да.

— Ну, — произнесла я, — жаль, что не могу отдать тебе мою канюлю. Мне без нее не обойтись!

Я уже ощущала отсутствие кислорода и дышала с усилием, когда Джеки отдала мне трубки. Я быстро сунула их под футболку, заправила за уши и сунула кончики в ноздри.

— Спасибо, что дала попробовать, — поблагодарила Джеки.

— Нет проблем.

— Джеки, — снова позвала ее мать, и на этот раз я не стала удерживать девочку.

Я вернулась к книге, где старший сержант Макс Мейхем сожалел, что может отдать своей стране всего одну жизнь, но никак не могла позабыть о малышке, которая мне очень понравилась.

Проблема с Кейтлин была в том, что я никогда не смогу естественно, как прежде, с ней болтать. Любые попытки разыгрывать обычное общение только угнетали. Очевидно, все, с кем мне суждено разговаривать остаток дней, будут чувствовать себя неловко и испытывать угрызения совести, за исключением разве что детишек вроде Джеки, которые еще не знают жизни.

Словом, мне нравилось быть одной. Одной с бедным старшим сержантом Максом Мейхемом, который — о, да ладно, *не выживет* он после семнадцати пулевых ранений!

(Снова спойлер: он выжил.)

Глава 4

Тем вечером спать я легла довольно рано. Переодевшись в мальчишеские трусы и футболку, я забралась под одеяло на кровать, двуспальную, с кучей подушек, одно из моих любимейших мест в мире — и в тысячный раз начала перечитывать «Царский недуг».

В «Недуге» рассказывается о девочке по имени Анна (от ее лица ведется повествование) и о ее одноглазой матери, профессиональной садовнице, одержимой тюльпанами. Мать и дочь ведут обыкновенную жизнь низов среднего класса в маленьком городке в Калифорнии, пока Анна не заболевает редкой формой рака крови.

Но это не книга о раке, потому что книги о раке — фигня. В книгах о раке больной раком открывает благотворительный фонд и собирает деньги на борьбу с раком. Занимаясь благотворительностью, больной видит, что человечество в принципе хорошее, и купается во всеобщей любви и поддержке, потому что оставит средства на лечение рака. А в «Царском недуге» Анна решает, что болеть раком и учреждать благотворительную ассоциацию для борьбы с раком — чересчур отдает нарциссизмом, поэтому учреждает фонд под названием «Фонд Анны для онкологических больных, которые хотят бороться с холерой».

Анна обо всем говорит предельно честно, как никто: с самого начала и до последней страницы она абсолютно правильно причисляет себя к *побочным эффектам*. Дети, больные раком, по сути своей — побочные эффекты безжалостной мутации, за счет которой жизнь на Земле так разнообразна. По мере развития сюжета Анне делается хуже — рак и лечение соревнуются, кто быстрее ее добьет, а тут еще мать Анны влюбляется в голландского торговца тюльпанами, которого Анна называет Тюльпановым Голландцем. У Тюльпанового Голландца много денег и крайне эксцентричные идеи насчет лечения рака; Анне кажется, что он проходимец и даже не голландец, но когда он и ее мать вот-вот поженятся, а Анна готова начать новый безумный курс лечения, включающий пырей ползучий и микродозы мышьяка, повествование обрывается на полуфразе.

Я знаю, это *литературный* прием, и, возможно, отчасти поэтому так люблю эту книгу, но обычно людям приятнее читать романы, которые чем-то заканчиваются. А если книга не может закончиться, пусть продолжается до бесконечности, вон как приключения отряда старшего сержанта Макса Мейхема.

Я понимаю, что такой финал означает гибель или фатальное ухудшение состояния Анны, а оборванная фраза символизирует безвременно оборвавшуюся жизнь, но в книге есть и другие персонажи, кроме Анны, и мне показалось несправедливым не узнать, что с ними сталось. Через издателя я направила Питеру ван Хаутену дюжину писем, спрашивая, что произойдет потом: окажется ли Тюльпановый Голландец проходимцем, выйдет ли за него мать Анны, что случится с глупым хомяком девочки, которого ее мать терпеть не может, закончат ли подруги Анны школу, но ван Хаутен мне ни разу не ответил.

«Царский недуг» — единственная книга Питера ван Хаутена. Все, что о нем известно, — после выхода книги он переехал из Штатов в Нидерланды и с тех пор живет затворником. Долгое время я надеялась, что он работает над сиквелом, действие которого разворачивается в Нидерландах, — может, мать Анны и Тюльпановый Голландец переехали туда и начали новую жизнь, — однако после выхода «Царского недуга» прошло десять лет, а ван Хаутен не опубликовал ничего, кроме постов в блоге. Я не могу ждать вечно.

В этот раз, перечитывая книгу, я представляла, как Огастус Уотерс пробегает глазами те же слова. Я гадала, понравится ему роман или он сочтет его слишком претенциозным. Вспомнив свое обещание позвонить, когда дочитаю «Цену рассвета», я открыла титульный лист с номером телефона и набрала сообщение:

«Рецензия на "Цену рассвета": слишком много трупов и мало прилагательных. Как тебе "Царский недуг"?»

Ответ пришел минутой позже:

«Насколько я помню, ты обещала позвонить, когда дочитаешь, а не написать сообщение».

Я позвонила.

— Хейзел Грейс, — произнес он, едва сняв трубку.

— Ну, так ты прочел?

— Еще не до конца. Здесь шестьсот пятьдесят одна страница, а у меня было всего двадцать четыре часа.

— И где ты сейчас?

— На четыреста пятьдесят третьей.

— И?

— Придержу свои суждения, пока не дочитаю. Однако, должен признаться, мне уже неловко, что я дал тебе «Цену рассвета».

— Не стоит, я уже читаю «Реквием по Мейхему».

— А-а, блестящее пополнение серии. Слушай, а торговец тюльпанами — мошенник? От него исходит неприятная вибрация.

— Не скажу, — ответила я.

— Если он не идеальный джентльмен, я ему глаза выдавлю.

— Значит, тебе понравилось?

— Повторяю, пока я придержу свое мнение. Когда я тебя увижу?

— Ну уж никак не раньше, чем дочитаешь «Царский недуг», — произнесла я, наслаждаясь непривычным лукавством.

— Тогда я кладу трубку и начинаю читать.

— Давай-давай, — сказала я, и после щелчка линия стала мертвенно-тихой.

Флиртовать мне было в новинку, но очень понравилось.

Наутро в колледже была лекция по американской поэзии двадцать первого века. Пожилая женщина, читавшая лекцию, умудрилась полтора часа говорить о Сильвии Плат, не процитировав ни строчки из Сильвии Плат.

Когда я вышла из колледжа, мама сидела в машине с работающим мотором напротив выхода.

— Ты что, ждала здесь все время? — спросила я, когда она поспешила помочь втащить тележку с баллоном в машину.

— Нет, я забрала вещи из химчистки и съездила на почту.

— А потом?

— У меня с собой книжка, — ответила она.

— А мне с собой нужна моя жизнь, — улыбнулась я. Мама попыталась улыбнуться в ответ, но улыбка получилась слабой.

Мгновение спустя я поинтересовалась:

— В кино хочешь?

— Конечно. Что будем смотреть?

— Давай как обычно пойдем на первый попавшийся фильм.

Она закрыла за мной дверцу, обошла машину и села за руль. Мы поехали к кинотеатру в «Каслтоне» и посмотрели 3D-фильм о говорящих песчанках. Забавный, кстати.

Выйдя из кино, я включила мобильный и обнаружила сразу четыре сообщения от Огастуса:

«Скажи, что в твоей книге не хватает последних двадцати или более страниц».

«Хейзел Грейс, скажи, что это еще не конец романа».

«БОЖЕ МОЙ, ДА ПОЖЕНИЛИСЬ ОНИ ИЛИ НЕТ?! БОЖЕ, БОЖЕ, ДА ЧТО ЖЕ ЭТО!»

«Я так понял, Анна умерла, и на этом все оборвалось? ЖЕСТОКО. Позвони мне, когда сможешь. Надеюсь, все в порядке».

Добравшись домой, я вышла на задний дворик, присела на ржавый решетчатый уличный стул и позвонила Огастусу. Был облачный день, типичный для Индианы, когда погода словно обволакивает вас. Весь дворик занимали мои детские качели — мокрые и жалкие.

Огастус снял трубку на третьем гудке.

— Хейзел Грейс, — сказал он.

— Добро пожаловать в сладкую муку чтения «Царского...» — Я остановилась, услышав в трубке громкие рыдания. — Ты чего? — опешила я.

— Я-то ничего, — отозвался Огастус. — Но у Айзека, похоже, декомпенсация. — В трубке раздался вой, похожий на предсмертный крик раненого животного.

Гас уговаривал Айзека:

— Друг, друг, от Хейзел из группы поддержки тебе будет лучше или хуже? Айзек. Послушай. Меня.

Через минуту Гас попросил:

— Можешь подъехать ко мне домой минут через двадцать?

— Конечно, — ответила я и нажала отбой.

По прямой на машине от моего дома до Огастуса ехать было бы минут пять, но по прямой ехать нельзя, потому что между нами Холидей-парк.

При всех географических неудобствах я люблю Холидей-парк. Когда я была маленькой, я плескалась с папой в Уайт-ривер, ожидая чудесного момента, когда он подбрасывал меня в воздух, слегка в сторону от себя, и в полете я раскидывала ручонки, папа тоже расставлял руки, и я видела, что никто меня не ловит, и мне и папе становилось ужасно страшно и весело, и я, болтая ногами, плюхалась в воду и выныривала невредимой, и течение относило меня обратно, и я просила: «Еще, папочка, еще!»

Я остановилась у дома рядом со старой черной «тойотой»-седаном, принадлежавшей, как я поняла, Айзеку. Везя за собой тележку с баллоном, я подошла к двери и постучала. Открыл отец Гаса.

— Просто Хейзел, — сказал он. — Рад тебя видеть.

— Огастус сказал, что я могу приехать.

— Да, они с Айзеком в подвале. — В этот момент оттуда донесся вопль. — Это Айзек, — печально покачал головой папа Гаса. — Синди не выдержала и решила проехаться. Эти звуки... — Он не договорил. — Ну, тебя, наверное, ждут внизу. Поднести тебе, э-э, баллон?

— Нет, я справлюсь. Спасибо, мистер Уотерс.

— Марк, — поправил он.

Я немного боялась спускаться: слушать безутешные истерики — не самое мое любимое дело. Но я пошла вниз.

— Хейзел Грейс, — произнес Огастус, услышав мои шаги. — Айзек, к нам спускается Хейзел из группы поддержки. Хейзел, позволь осторожно напомнить: у Айзека как раз приступ психоза.

Огастус и Айзек сидели в игровых креслах в форме ленивой буквы «L», глядя снизу вверх в гаргантюанских размеров телевизор. Экран был поделен надвое: левая часть — Айзека, правая — Огастуса. Они были солдатами и пробирались по современным разбомбленным улицам — я узнала город из «Цены рассвета». Подходя, я не заметила ничего необычного: два парня, освещенные отблеском огромного экрана, притворяются, что убивают людей.

Только поравнявшись с ними, я увидела лицо Айзека. Слезы струились по его покрасневшей щеке непрерывным потоком, лицо стянула гримаса боли. Он даже не взглянул на меня — смотрел на экран и выл, аккомпанируя себе ударами кулаков по пульту.

— Как дела, Хейзел? — спросил Огастус.

— Все о'кей, — ответила я. — Айзек?

Тишина. Айзек ничем не показал, что знает о моем присутствии. Слезы катились по щеке и капали на черную футболку.

Огастус мельком взглянул на меня, отведя глаза от экрана.

— Прекрасно выглядишь, — заметил он. Я была в платье чуть ниже колен, которое носила уже целую вечность. — Девчонки думают, что платья нужно надевать только на торжества, но мне нравятся женщины, которые говорят: «Я иду к парню, переживающему нервный срыв, к парню, у которого весьма призрачная связь со своими органами зрения, и, черт меня побери, я надену для него платье!»

— При этом, — сказала я, — Айзек на меня даже не глядит. Он слишком влюблен в свою Монику.

Это вызвало катастрофические рыдания.

— Довольно щекотливая тема, — объяснил Огастус. — Айзек, не знаю, как у тебя, но у меня смутное ощущение, что нас обходят с флангов. — После этого он снова обратился ко мне: — Айзек и Моника прекратили свою совместную деятельность, но он не хочет об этом говорить. Он хочет только плакать и играть в «Карательные акции-2: Цена рассвета».

— Честно, — оценила я.

— Айзек, во мне растет беспокойство по поводу нашего положения. Если ты не против, иди к электростанции, я тебя прикрою.

Айзек помчался к ничем не примечательному зданию, а Огастус, бешено стреляя из пулемета короткими очередями, бежал за ним.

— В любом случае, — сказал мне Огастус, — поговорить с ним не повредит. Вдруг он прислушается к мудрому женскому совету.

— Вообще-то я считаю его реакцию вполне естественной, — ответила я под треск автоматной очереди Айзека, который прикончил врага, высунувшего голову из-за сгоревшего пикапа.

Огастус кивнул.

— «Боль хочет, чтобы ее чувствовали», — процитировал он «Царский недуг». — Ты проверил, за нами никого? — спросил он Айзека. Через несколько секунд над их головами просвистели трассирующие пули. — Да черт тебя побери, Айзек! — воскликнул Огастус. — Не хочу критиковать тебя в момент великой слабости, но ты дал обойти нас с флангов, и теперь у террористов прямой путь к школе!

Солдат Айзека сорвался с места и побежал навстречу стреляющим, петляя по узкой улочке.

— Ты можешь перейти по мосту и кружным путем вернуться, — подсказала я, набравшись тактических знаний из «Цены рассвета».

Огастус вздохнул:

— К сожалению, мост уже в руках повстанцев. Это результат сомнительной стратегии моего опечаленного соратника.

— Чьей стратегии? — задыхаясь, завопил Айзек. — Моей? Это ты предложил укрыться в чертовой электростанции!

Гас на секунду отвернулся от экрана и улыбнулся Айзеку уголком рта.

— Я знал, что ты можешь говорить, приятель, — сказал он. — А теперь пошли спасать горстку ненастоящих школьников.

Они вдвоем побежали по переулку, стреляя и прячась в нужные моменты, пока не подобрались к одноэтажной однокомнатной школе. Присев за стеной через улицу, они снимали врагов одного за другим.

— А чего они так рвутся в школу? — спросила я.

— Хотят взять детей в заложники, — ответил Огастус, ссутулившись над своим пультом и с силой нажимая на кнопки. Его предплечья напряглись, на руках проступили вены. Айзек весь подался к экрану, пульт так и танцевал в его тонких пальцах.

— Получи, получи, получи — повторял Огастус.

Волны террористов набегали одна за другой, и они скашивали всех до единого, стреляя на удивление точно, иначе их пули летели бы прямо в школу.

— Граната! Граната! — заорал Огастус, когда на экране что-то пролетело по дуге, отскочило от двери школы и немного откатилось в сторону.

Айзек разочарованно бросил пульт.

— Если эти гады не могут взять заложников, они просто убивают их и обвиняют в этом нас.

— Прикрой меня, — сказал Огастус, выпрыгивая из-за стены и бросаясь к школе. Айзек нащупал свой пульт и начал стрелять. Град пуль обрушился на Огастуса, который был ранен раз, другой, но продолжал бежать.

— Вам не убить Макса Мейхема! — закричал Огастус и, помудрив что-то с кнопками — пальцы так и мелькали, — бросился ничком на гранату, которая взорвалась под ним. Его тело разлетелось на части, кровь брызнула, как из гейзера, и экран окрасился красным. Хриплый голос сообщил: «Миссия провалена», но Огастус, видимо, считал иначе, потому что улыбался, глядя на собственные останки. Затем он сунул руку в карман, выудил оттуда сигарету, сунул ее в рот и зажал зубами. — Зато детей спас.

— Временно, — напомнила я.

— Всякое спасение временно, — парировал Огастус. — Я купил им минуту. Может, эта минута купит им час, а час купит год. Никто не даст им вечную жизнь, Хейзел Грейс, но ценой моей жизни теперь у них есть минута, а это уже кое-что.

— Ничего себе загнул, — сказала я. — Речь-то идет о пикселях.

Он пожал плечами, словно верил, что игра может быть реальностью. Айзек снова зарыдал. Огастус тут же повернул к нему голову.

— Попробуем еще раз, капрал?

Айзек покачал головой. Он перегнулся через Огастуса и, борясь со спазмом в горле, выдавил, обращаясь ко мне:

— Она решила не откладывать это на потом.

— Она не хотела бросать слепого парня? — уточнила я. Айзек кивнул. Слезы непрерывно катились по его лицу — одна за другой, словно работал некий беззвучный метроном.

— Сказала, ей это не под силу, — признался он мне. — Я вот-вот потеряю зрение, а *ей* это не под силу!

Я думала о слове «сила» и обо всем непосильном, с чем хватает сил справиться.

— Мне очень жаль, — произнесла я.

Он вытер мокрое лицо рукавом. За стеклами очков глаза Айзека казались такими огромными, что остальное лицо словно исчезало, и на меня смотрели два плавающих в пространстве глаза — один настоящий и один стеклянный.

— Так же нельзя поступать, — сказал он мне. — Как она могла?

— Ну, честно говоря, — ответила я, — ей это, наверное, действительно не под силу. Тебе тоже, но у нее нет прямой необходимости пересиливать ситуацию. А у тебя есть.

— Я напомнил ей о «всегда», повторял «всегда, всегда, всегда», а она говорила свое, не слушая меня, и не отвечала. Будто я уже умер, понимаешь? «Всегда» было обещанием! Как можно просто взять и нарушить слово?

— Иногда люди не придают значения данным обещаниям, — заметила я.

Айзек гневно взглянул на меня:

— Конечно. Но слово все равно держат. В *этом* заключается любовь. Любить — значит выполнять обещания во что бы то ни стало. Или ты не веришь в настоящую любовь?

Я не ответила. У меня не было ответа. Но я подумала, что если настоящая любовь существует, то предложенное Айзеком толкование определяет ее очень точно.

— Ну а я верю в любовь, — сказал Айзек. — И я люблю ее. Она обещала. Она обещала мне «всегда». — Он встал и шагнул ко мне. Я тоже встала, решив, что он хочет броситься мне в объятия, но Айзек вдруг огляделся, будто забыв, для чего поднялся, и мы с Огастусом увидели на его лице ярость.

— Айзек, — позвал Гас.

— Что?

— Ты выглядишь несколько... Прости мне некоторую двусмысленность, друг мой, но в твоих глазах появилось что-то пугающее.

Неожиданно Айзек изо всей силы пнул свое игровое кресло, и оно, перекувырнувшись в воздухе, отлетело к кровати.

— О как, — сказал Огастус.

Айзек погнался за креслом и пнул его снова.

— Да, — поддержал Огастус. — Вломи ему. Избей до полусмерти!

Айзек пнул кресло еще раз, так что оно ударилось о кровать, затем схватил одну из подушек и начал лупить ею по стене между кроватью и полкой с призами.

Огастус посмотрел на меня, все еще держа в зубах сигарету, и улыбнулся краем рта:

— Не могу не думать о твоей книге.

— Знаю, со мной было так же.

— Он так и не написал, что случилось с остальными персонажами?

— Нет, — ответила я. Айзек по-прежнему избивал стену подушкой. — Он переехал в Амстердам. Я думала, может, он пишет сиквел о Тюльпановом Голландце, но он ничего не опубликовал. Не дает интервью, не бывает онлайн. Я написала ему гору писем, спрашивая, что с кем сталось, но он так и не ответил. Так что... — Я перестала говорить, потому что Огастус вроде бы не слушал. Он внимательно смотрел на Айзека.

— Погоди, — тихо сказал он мне, подошел к Айзеку и взял его за плечи: — Приятель, подушки небьющиеся. Попробуй что-нибудь другое.

Айзек схватил баскетбольный трофей с полки над кроватью и занес его над головой, словно ожидая команды.

— Да! — оживился Огастус. — Да!

Статуэтка ударилась об пол, и у пластмассового баскетболиста отвалилась рука с мячом. Айзек принялся топтать осколки ногами.

— Да, — приговаривал Огастус. — Дай ему! — И снова мне: — Я уже давно искал способ дать отцу понять, что ненавижу баскетбол, и, кажется, сегодня он нашелся.

Призы летели на пол один за другим, Айзек плясал на них, с силой топая и вопя, а мы с Огастусом, свидетели безумия, стояли поодаль. Бедные искореженные тела пластиковых баскетболистов усеяли ковровое покрытие: там мяч, оставшийся в оторванной руке, здесь две ноги без туловища, замершие в прыжке. Айзек крушил призы, прыгал на них, крича, задыхаясь, потея, пока наконец не рухнул на гору пластиковых обломков.

Огастус подошел к нему и поглядел сверху вниз.

— Полегчало? — поинтересовался он.

— Нет, — буркнул Айзек, тяжело дыша.

— В том-то и дело, — сказал Огастус и взглянул на меня. — Боль хочет, чтобы ее чувствовали.

Глава 5

Я не разговаривала с Огастусом почти неделю. Я звонила ему в Ночь разбитых трофеев, и теперь по традиции была его очередь. Но он не звонил. Не думайте, что я целыми днями держала мобильник в потной ладошке и не сводила с него взгляд и по утрам надевала свое особое желтое платье, терпеливо ожидая, когда мой вызывающий абонент и настоящий джентльмен дорастет до своего имени*. Я вела привычную жизнь: разок выпила кофе с Кейтлин и ее бойфрендом (красив, но до Огастуса ему далеко), каждый день переваривала прописанную дозу фаланксифора, посетила три утренних лекции в колледже, а по вечерам ужинала с мамой и папой.

В воскресенье мы ели пиццу с зеленым перцем и брокколи, сидя на кухне за маленьким круглым столом, как вдруг зазвонил мой сотовый. Мне не позволили посмотреть, кто звонит, потому что у нас в семье строгое правило: никаких звонков во время ужина.

Поэтому я продолжила есть, а мама с папой говорили о землетрясении, случившемся в Папуа — Новой Гвинее. Они познакомились в «Корпусе мира» в Папуа — Новой Гвинее, и всякий раз, как только там что-нибудь происходило, пусть даже трагедия, мама с па-

---

* От *лат.* Augustus — величественный.

пой из крупных сидячих существ снова превращались в юных идеалистов, самодостаточных и волевых, и сейчас они настолько были поглощены разговором, что даже не глядели на меня. Я ела быстрее, чем когда-либо в жизни, метала куски с тарелки в рот так неистово, что начала задыхаться. Я перепугалась: неужели это из-за того, что мои легкие снова плавают в скопившейся жидкости? Но затем я старательно отогнала от себя эту мысль. Через пару недель меня ожидало сканирование. Если что-нибудь не так, я скоро узнаю, а пока все равно нет смысла волноваться.

И все же я волновалась. Мне нравилось быть человеком. Я за это держалась. Волнение — еще один побочный эффект умирания.

Наконец я доела, извинилась и встала из-за стола. Родители даже не прервали разговор о плюсах и минусах инфраструктуры Гвинеи. Я выхватила мобильный из сумки, валявшейся на кухонном столе, и проверила последние входящие. *Огастус Уотерс.*

Я вышла через заднюю дверь в сумерки. Увидев качели, подумала: «Может, покачаться, пока буду говорить с ним?» Но побоялась не дойти — меня порядком утомила еда.

Поэтому я улеглась на траву у края патио, нашла глазами Орион — единственное созвездие, которое я знаю, — и позвонила Огастусу.

— Хейзел Грейс, — произнес он.

— Привет, — ответила я. — Как дела?

— Великолепно, — сказал он. — Я все время хотел тебе позвонить, но выжидал, пока у меня сформируется связное мнение в отношении «Царского недуга».

(Он так и сказал — «в отношении». Вот это парень!)

— И? — спросила я.

— Я думаю, она, ну, читая ее, я чувствовал, что, ну...

— Ну что? — поддразнила я.

— Будто это подарок? — вопросительно сказал он. — Будто ты подарила мне что-то важное.

— О, — негромко вырвалось у меня.

— Пафосно прозвучало, — признал он. — Извини.

— Нет, — сказала я. — Нет. Не извиняйся.

— Но она ничем не заканчивается.

— Верно, — согласилась я.

— Настоящая пытка. Я понял, что она умерла или типа того.

— Да, я тоже так предполагаю.

— Ладно, все это честно, но ведь существует же неписаный контракт между автором и читателем! По-моему, неоконченный сюжет — это своего рода нарушение контракта.

— Не знаю, — сказала я, готовая защищать Питера ван Хаутена. — Отчасти именно поэтому я так люблю эту книгу. Здесь правдиво изображена смерть — человек умирает, не дожив, на полуфразе. Хотя я тоже очень хочу узнать, что произошло с остальными. Об этом я спрашивала в письмах, но он ни разу не ответил.

— Ясно. Ты говорила, он живет затворником?

— Точно.

— Его невозможно найти?

— Точно.

— Он совершенно недостижим? — уточнил Огастус.

— К сожалению, именно так.

— «Уважаемый мистер Уотерс, — ответил он. — Спешу поблагодарить вас за электронное письмо, полученное мною шестого апреля через мисс Флигентхарт из Соединенных Штатов Америки, если география еще что-нибудь значит в нашей с триумфом оцифрованной современности».

— Огастус, что ты несешь?

— У него есть помощница, — сказал Огастус. — Лидевидж Флигентхарт. Я ее нашел и написал. Она передала письмо ван Хаутену. Он ответил с ее электронного адреса.

— Ясно, понятно, читай дальше.

— «Свой ответ я по старой доброй традиции пишу чернилами и на бумаге. Позже эти строки, переведенные мисс Флигентхарт в длинный ряд единиц и нулей, отправятся в путь по бездушной Паутине, в которую не так давно попался наш биологический вид. Заранее прошу простить меня за все ошибки и упущения, которые могут последовать.

Учитывая вакханалию развлечений, открытых вашему поколению, я благодарен каждому юноше и каждой девушке в любом уголке планеты, уделившим моей небольшой книге необходимое для ее прочтения время. Вам, сэр, я глубоко признателен за добрые слова о "Царском недуге" и любезное уведомление, что эта книга, цитирую дословно, "кучу всего значила" для Вас.

Эта фраза заставила меня задуматься: что Вы имели в виду, написав "значила"? Коль скоро мы видим безнадежную тщету всякой борьбы, должно ли нам ценить скоропреходящее потрясение, которое дает нам искусство, или же его единственной ценностью следует считать наивозможнейше приятное препровождение времени? Чем должна быть книга, Огастус? Тревожной сиреной? Призывом к оружию? Инъекцией морфия? Как и все вопросы во Вселенной, эти неизбежно приведут нас к истокам: что означает быть человеком и — заимствуя фразу у снедаемых тревогой за будущее шестнадцатилетних, которых вы, несомненно, осуждаете, — на кой все это нужно?

Боюсь, что смысла в существовании человечества нет, друг мой, и от дальнейшего знакомства с моими произведениями вы получили бы весьма скудное удовольствие. Отвечаю на ваш вопрос: больше я ничего не написал и не напишу. И далее делиться мыслями с читателями вряд ли будет полезно: и им, и мне. Еще раз благодарю за ваш великодушный и-мейл.

Преданный вам Питер ван Хаутен (через Лидевидж Флигентхарт)».

— Вау, — сказала я. — Сам придумал?

— Хейзел Грейс, как бы я с моими скромными интеллектуальными возможностями сочинил письмо от имени Питера ван Хаутена с перлами вроде «с триумфом оцифрованной современности»?

— Не осилил бы, — признала я. — А можно, а можно мне его электронный адрес?

— Ну конечно, — ответил Огастус, будто и не сделал мне только что лучший в жизни подарок.

Следующие два часа я составляла и-мейл Питеру ван Хаутену. По мере вносимых исправлений письмо становилось все хуже, но остановиться я уже не могла.

Уважаемому г-ну Питеру ван Хаутену (через Лидевидж Флигентхарт).

Меня зовут Хейзел Грейс Ланкастер. Мой друг Огастус Уотерс, который по моей рекомендации прочитал «Царский недуг», только что получил от вас и-мейл с этого адреса. Надеюсь, вы не против того, что Огастус поделился содержанием вашего ответа со мной.

Мистер ван Хаутен, из вашего письма Огастусу я поняла, что вы не планируете больше писать. Отчасти я разочарована, но одновременно испытываю облегчение: не придется волноваться, станет ли ваша следующая книга вровень с величественным совершенством дебютной. На правах больной с трехлетним стажем четвертой стадии рака я утверждаю, что в «Царском недуге» вы все поняли правильно. По крайней мере вы абсолютно правильно поняли меня. Ваша книга объяснила мне, что я чувствую, еще до того, как я начала это чувствовать. Я перечитывала ее десятки раз.

И все же решаюсь спросить у вас, что произойдет с действующими лицами после окончания романа. Я понимаю, книга обрывается, потому что Анна умирает или из-за тяжести своего состояния не может больше писать, но мне очень хочется знать, что будет с матерью Анны. Выйдет ли она замуж за Тюльпанового Голландца, будут ли у нее еще дети и будет ли она по-прежнему жить по адресу: Вестерн Темпл, 917? А Тюльпановый Голландец, он мошенник или правда их любит? Что будет с друзьями Анны, особенно с Клэр и Джейком? Они останутся вместе? И наконец, самый глубокий и умный вопрос, которого вы, несомненно, давно ждали от читателей: что станется с хомяком Сизифом? Эти вопросы не дают мне покоя уже несколько лет, и я не знаю, сколько у меня еще есть времени ждать ответов.

Разумеется, перечисленное нельзя отнести к важнейшим проблемам литературы, которые поднимает ваша книга, но мне просто очень хочется все это знать.

И если когда-нибудь вы все же решите написать что-то еще, даже без намерения опубликовать, я бы очень хотела это прочесть. Клянусь, я готова читать даже ваши списки покупок.

С безмерным восхищением

Хейзел Грейс Ланкастер (16 лет).

Отослав письмо, я снова позвонила Огастусу, и мы до ночи говорили о «Царском недуге». Я прочла ему стихотворение Эмили Дикинсон, строку из которого ван Хаутен взял в качестве названия для романа*, и Огастус сказал, что у меня хороший голос для декламации и я не делаю слишком больших пауз в конце строк, а потом добавил, что шестая книга из серии «Цена рассвета» — «Утверждено кровью» — тоже начинается со стиха. Минуту он искал книгу и наконец прочел:

— Признайся, жизнь не удалась: / Ведь ты не можешь вспомнить, / Когда в последний раз / Поцеловал кого-нить.

— Неплохо, — сказала я. — Но слегка претенциозно. Полагаю, Макс Мейхем назвал бы этот стишок «дерьмом для неженок».

— Ага, сквозь стиснутые зубы. Слушай, Мейхем то и дело скрипит зубами! Он заработает себе синдром Костена**, если выйдет живым из этой передряги. — И через секунду Гас спросил: — А ты когда в последний раз по-настоящему целовалась?

---

* Название книги ван Хаутена «Imperial Affliction» многозначно: его можно перевести как «Царский недуг» (аллюзия на редкое заболевание крови Анны), как «Царственная скорбь» или даже как «Высшее страдание».

** Болезненный спазм жевательной мускулатуры.

Я задумалась. Мои поцелуи — все случились до диагноза — были слюнявыми и неловкими, с ощущением, что мы, дети, играем во взрослых. Но времени, конечно, прошло много.

— И не вспомнить, — ответила я наконец. — А ты?

— У меня было несколько хороших поцелуев с моей бывшей подружкой, Кэролайн Мэтерс.

— Сто лет назад?

— Последний — менее чем год назад.

— А что произошло?

— Во время поцелуя?

— Нет, у тебя с Кэролайн.

— О, — сказал Гас. И через секунду ответил: — Кэролайн уже не страдает от пребывания в бренном теле.

— О-о, — вырвалось у меня.

— Да.

— Прости, — быстро сказала я.

Я знаю много умерших, но никто из тех парней, с кем я встречалась, не умер. Даже представить себе такого не могу.

— Это не твоя вина, Хейзел Грейс. Все мы лишь побочные эффекты, верно?

— «Колония морских рачков на грузовом судне сознания», — процитировала я «Царский недуг».

— О'кей, — сказал он. — Пойду, пожалуй, спать. Уже час ночи.

— О'кей, — сказала я.

— О'кей, — сказал он.

Я засмеялась и еще раз сказала:

— О'кей.

И в трубке стало тихо, хотя он и не нажал отбой. Мне даже показалось, что он здесь, в моей комнате. Даже еще лучше: будто я не в моей комнате и он не в своей, а мы где-то в другом месте, призрачном и эфемерном, которое можно посетить только по телефону.

— О'кей, — сказал он спустя целую вечность. — Может, «о'кей» станет нашим «всегда».

— О'кей, — отозвалась я.

И тогда Огастус наконец нажал отбой.

Когда Огастус написал Питеру ван Хаутену, то получил ответ от него уже через четыре часа. Мне же не пришло ничего и через два дня. Огастус убеждал меня, что просто мое письмо лучше и поэтому требует более продуманного ответа, что ван Хаутен, очевидно, старательно составляет пояснения к моим вопросам, и на создание столь блестящей прозы нужно время. Но я все равно переживала.

В среду на лекции по американской поэзии для чайников я получила сообщение от Огастуса:

«Айзека прооперировали. Операция прошла хорошо. Теперь он официально БПР».

БПР означает «без признаков рака». Второе сообщение пришло через несколько секунд:

«Я имел в виду, теперь он слепой. Так что все плохо».

Днем мама согласилась одолжить мне машину, и я поехала в «Мемориал» навестить Айзека.

Я нашла его палату на пятом этаже, постучала в открытую дверь и услышала женский голос:

— Войдите.

Это была медсестра, которая что-то делала с повязками на глазах Айзека.

— Привет, Айзек, — сказала я.

— Моника? — спросил он.

— Нет, прости, это, э-э, Хейзел из группы поддержки. Помнишь Хейзел и Ночь разбитых трофеев?

— А-а, — протянул он. — Да, мне все повторяют, что в качестве компенсации у меня обострятся остальные чувства, но пока все по-прежнему. Привет, Хейзел из группы поддержки! Подойди, чтобы я ощупал твое лицо руками и заглянул тебе в душу глубже, чем могут зрячие.

— Он шутит, — уточнила медсестра.

— Я поняла, — откликнулась я.

Подкатив стул к кровати, я села и взяла Айзека за руку.

— Привет, — сказала я.

— Привет, — ответил он и долго молчал.

— Как ты себя чувствуешь? — спросила я.

— О'кей, — произнес он. — Я не понимаю.

— Чего не понимаешь? — Я не хотела видеть повязки у него на глазах, поэтому смотрела не на лицо, а на руку. Айзек грыз ногти, и кое-где в уголках кутикул проступила кровь.

— Она даже не приходила, — пояснил он. — Мы были вместе четырнадцать месяцев. Четырнадцать — это много. Блин, больно! — Айзек отпустил мою руку и нащупал кнопку обезболивания, которую надо нажать, чтобы сделать себе инъекцию наркотика.

Медсестра, закончив менять повязку, отступила на шаг.

— Прошел всего один день, Айзек, — сказала она чуть снисходительно. — Дай себе время выздороветь. Четырнадцать месяцев — малая часть жизни. Все только начинается, приятель, сам увидишь.

Медсестра вышла.

— Она ушла?

Я кивнула, но спохватилась, что Айзек меня не видит.

— Да, — ответила я.

— Я сам увижу? Она правда так сказала?

— Качества хорошей медсестры... Начинай, — предложила я.

— Первое: не каламбурит на тему твоего увечья, — сказал Айзек.

— Второе: берет кровь с первой попытки, — продолжила я.

— Да, это большое дело. Это же моя рука, а не мишень для дротиков, скажи? Третье: не позволяет себе снисходительный тон.

— Как твои дела, миленький? — приторно заворковала я. — Я сейчас воткну в тебя иголочку, будет чуть-чуть ой-ой...

— Бо-бо моему манинькому сюсечке? — подхватил он. И через секунду добавил: — Большинство из них нормальные. Я просто очень хочу свалить отсюда на фиг.

— Отсюда — это из больницы?

— И это тоже. — Айзек напрягся. Я видела, как ему больно. — Честно говоря, я гораздо больше думаю о Монике, чем о своем глазе. Это идиотизм? Идиотизм.

— Немного идиотизм, — согласилась я.

— Но я верю в настоящую любовь, понимаешь? Люди теряют глаза, заболевают черт-те чем, но у каждого должна быть настоящая любовь, которая длится минимум до конца жизни!

— Да, — подтвердила я.

— Иногда мне хочется, чтобы этого со мной никогда не случалось. Рака, я имею в виду. — Его речь немного плыла. Лекарство действовало.

— Мне очень жаль, — сказала я.

— Гас уже приходил. Он был здесь, когда я проснулся. Отпросился из школы. Он... — Голова Айзека свесилась набок. — Мне лучше.

— Боль отпускает? — уточнила я. Он едва заметно кивнул.

— Хорошо, — одобрила я и как настоящая стерва тут же спросила: — Ты что-то говорил о Гасе...

Но Айзек уже спал.

Я спустилась вниз, в крохотный сувенирный магазинчик без окон и спросила дряхлую волонтершу, сидевшую на табурете за кассой, какие цветы пахнут сильнее всех.

— Все пахнут одинаково. Их опрыскивают «Суперзапахом», — пояснила она.

— Правда?

— Да, пшикают на них из флакона, и все.

Я открыла холодильник слева от нее, перенюхала десяток роз, а потом нагнулась над гвоздиками. Тот же запах, и очень густой. Гвоздики были дешевле, и я взяла дюжину желтых. Это стоило четырнадцать долларов. Я вернулась в палату Айзека. Там уже сидела его мать, держа сына за руку. Она была молода и очень красива.

— Ты его подруга? — спросила она, озадачив меня одним из широких по смыслу вопросов без ответа.

— М-м, да, — ответила я. — Я из группы поддержки. Это ему.

Она взяла гвоздики и положила себе на колени.

— Ты знаешь Монику? — спросила она.

Я покачала головой.

— Он спит, — произнесла она.

— Да. Я с ним говорила во время перевязки.

— Я не хочу оставлять его одного, но нужно было забрать Грэма из школы, — объяснила она.

— Он держится молодцом, — сказала я. Женщина кивнула. — Пускай спит, я пойду.

Она снова кивнула, и я ушла.

На следующее утро я проснулась рано и первым делом проверила электронную почту.

Долгожданный ответ с lidewij.vliegenthart@gmail.com наконец-то пришел.

Дорогая мисс Ланкастер!

Боюсь, вы верите в то, что не заслуживает доверия, хотя для веры это не редкость. Я не могу ответить на ваши вопросы письменно, потому что это бы означало написать сиквел к «Царскому недугу», который вы можете опубликовать или разместить в Паутине, заменившей мозги вашему поколению. Существует телефон, но вы можете записать разговор.

Не подумайте, что я вам не доверяю, но я вам не доверяю. Увы, дорогая Хейзел, я не отвечаю на подобные вопросы иначе как лично, но вы там, а я здесь.

Должен признаться, впрочем, что ваше неожиданное письмо, полученное через мисс Флигентхарт, немало меня порадовало: как удивительно сознавать, что я сделал для вас что-то полезное. А между тем собственная книга кажется мне настолько далекой, будто ее написал кто-то другой (автор «Царского недуга» был таким худеньким, таким хрупким, таким сравнительно оптимистичным!).

Но если волею судеб вы окажетесь в Амстердаме, милости прошу ко мне в ваше свободное время. Обыч-

но я всегда дома. Я даже покажу вам мои списки покупок.

Искренне ваш

*Питер ван Хаутен через Лидевидж
Флигентхарт.*

— ЧТО?! — закричала я. — ДА ЧТО ЭТО ЗА ЖИЗНЬ ТАКАЯ?!

Мама вбежала в комнату:

— Что случилось?

— Ничего! — заверила я.

Обеспокоенная, мама опустилась на колени проверить, нормально ли Филипп сжижает кислород. Я представила, как сижу в залитом солнцем кафе с Питером ван Хаутеном, а он перегнулся через стол, опираясь на локти, и тихо, чтобы никто не расслышал, говорит, что сталось с персонажами, о которых я думаю несколько лет. Он написал, что ответит только *лично*, и *пригласил меня в Амстердам*. Я объяснила это маме и сказала:

— Я должна поехать.

— Хейзел, я люблю тебя, я все для тебя сделаю, но у нас нет, просто нет денег на трансатлантические перелеты и перевозку оборудования. Детка, это не...

— Да, — оборвала я ее, понимая, что глупо было даже думать о поездке. — Забудь об этом.

Но мама выглядела взволнованной.

— Это правда для тебя важно? — спросила она, присаживаясь рядом и положив руку мне на ногу.

— Как замечательно было бы стать единственным человеком, кроме автора, знающим, что случилось дальше, — проговорила я.

— Да, это было бы потрясающе, — согласилась мама. — Я поговорю с твоим отцом.

— Не надо, — сказала я. — Не трать на это деньги. Я что-нибудь придумаю.

Мне вдруг пришло в голову, что причина, почему у родителей нет денег, во мне. На меня ушли все семейные сбережения из-за доплат за фаланксифор, не покрываемый страховкой, а мама не может пойти на работу, потому что теперь ее профессия — круглосуточно надо мной трястись. Еще только в долги их вогнать не хватало.

Я сказала маме, что хочу позвонить Огастусу. Мне было нужно, чтобы она вышла из комнаты, потому что я не могла видеть ее опечаленное лицо, словно говорящее: «Я не могу исполнить мечту своей дочери».

Подражая Огастусу Уотерсу, я прочитала ему письмо ван Хаутена вместо приветствия.

— Вау, — сказал он.

— Это я и без тебя знаю, — отозвалась я. — Как я в Амстердам-то попаду?

— У тебя Желание осталось? — спросил он, имея в виду фонд «Джини», который занимается тем, что исполняет по одному желанию каждого неизлечимо больного ребенка.

— Нет, — заверила я. — Я его использовала еще до Чуда.

— И что пожелала?

Я звучно вздохнула:

— Ну, мне тринадцать лет было...

— Только не Дисней! — взмолился Огастус.

Я промолчала.

— Ну не в Диснейворлд же ты съездила?!

Я снова промолчала.

— Хейзел Грейс! — закричал он. — Не использовала же ты свое последнее Желание, чтобы смотаться с родителями к Диснею?!

— И в Эпкот-парк тоже, — пробормотала я.

— Боже мой, — сказал Огастус. — Поверить не могу, что запал на девчонку с такими банальными мечтами!

— Мне было тринадцать, — повторила я, хотя в ушах отдавалось «запал-запал-запал». Мне это польстило, но я тут же сменила тему: — Слушай, а что это ты не в школе?

— Смылся, чтобы побыть с Айзеком, но он спит, и я тут во дворике делаю геометрию.

— Как он там? — спросила я.

— То ли он еще не готов осознать всю серьезность своей инвалидности, то ли его действительно больше волнует, что его бросила Моника, но ни о чем другом он не говорит.

— Да уж. Сколько ему еще быть в больнице?

— Всего несколько дней. Потом курс реабилитации, но ночевать он будет дома.

— Фигово, — сказала я.

— Так, я вижу его мать. Мне пора.

— О'кей, — сказала я.

— О'кей, — отозвался он. Я так и слышала его асимметричную улыбку.

В субботу я с родителями поехала на фермерский рынок в Броуд-Рипл. День был солнечный, для Индианы в апреле — редкость, и все на рынке ходили в рубашках с коротким рукавом и футболках, хотя воздух еще толком не прогрелся. Мы, простаки и деревенщины из Индианы, всякий раз встречаем лето с избыточным оптимизмом. Мы с мамой сели на скамейку напротив мужчины в рабочем халате, варившего мыло на козьем молоке; ему приходилось объяснять каждому проходящему, что козы его собственные и что нет, мыло на козьем молоке козами не пахнет.

У меня зазвонил мобильный.

— Кто это? — спросила мама, хотя я еще не успела посмотреть.

— Не знаю, — сказала я. Это был Гас.

— Ты сейчас дома? — поинтересовался он.

— М-м, нет, — ответила я.

— Вопрос был каверзный. Я знаю ответ, я сейчас у вашего дома.

— О! Хм. Ну, мы уже едем.

— Отлично. До встречи.

Огастус Уотерс сидел на крыльце с букетом ярко-оранжевых тюльпанов, которые только начали зацветать. Сегодня он явился в джемпере «Индиана Пейсерс» и флисовой куртке. Выбор гардероба показался мне совершенно неожиданным, хотя Огастусу все очень шло.

Он одним рывком поднялся и протянул мне тюльпаны со словами:

— На пикник поехать хочешь?

Я кивнула, взяв тюльпаны.

Папа вышел из-за моей спины и пожал Гасу руку.

— У тебя на фуфайке Рик Смитс? — спросил он.

— Да.

— Боже, как я любил этого парня! — воскликнул папа, и они с Гасом тут же затеяли беседу о баскетболе, которую я поддержать не могла (и не хотела), поэтому понесла тюльпаны в дом.

— Хочешь, я поставлю их в вазу? — спросила мама, широко улыбаясь.

— Нет-нет, все нормально, — ответила я.

Если бы мы поставили тюльпаны в вазу в гостиной, они стали бы общими цветами. А я хотела, чтобы они были только моими.

Я пошла к себе в комнату, но переодеваться не стала. Причесалась, почистила зубы, тронула губы блеском и едва коснулась кожи крышечкой от духов. Я не сводила глаз с тюльпанов. Они были *агрессивно-оранжевыми*, почти что слишком оранжевыми, чтобы быть красивыми. У меня не было ни вазы, ни банки, поэтому я вынула зубную щетку из стаканчика, наполовину наполнила его водой и оставила цветы в ванной.

Вернувшись в комнату, я услышала голоса и посидела немного на краешке кровати, слушая разговор через тонкую дверь.

П а п а: Так вы с Хейзел познакомились в группе поддержки?

О г а с т у с: Да, сэр. Какой у вас милый дом и прекрасные рисунки!

М а м а: Спасибо, Огастус.

П а п а: Значит, ты тоже болел?

О г а с т у с: Да, сэр, ногу я отрезал не из чистого удовольствия, хотя это и неплохой способ сбросить вес. Ноги, они тяжелые!

П а п а: А как сейчас твое здоровье?

О г а с т у с: БПР уже четырнадцать месяцев.

М а м а: Замечательно! Возможности медицины в наши дни — это что-то невероятное!

О г а с т у с: Я знаю. Мне повезло.

П а п а: Ты должен понимать, что Хейзел по-прежнему больна, Огастус, и будет больна остаток жизни. Она не хочет от тебя отставать, но ее легкие...

На этом я вышла в гостиную, и папа замолчал.

— Так куда же вы поедете? — спросила мама.

Огастус встал, наклонился к ее уху, прошептал ответ и прижал палец к губам.

— Ш-ш, это секрет.

Мама улыбнулась.

— Телефон взяла? — спросила она меня.

Я повертела мобильный в руке в качестве доказательства, взялась за ручку тележки и пошла. Огастус поспешил меня догнать и предложить руку, на которую я оперлась, обхватив пальцами его бицепс.

К сожалению, он сел за руль — сюрприз должен быть сюрпризом. Пока мы рывками продвигались к неведомой цели, я сказала:

— Ты очаровал мою мать до потери пульса.

— Да, а твой папа фанат Смитса, это тоже помогло. Думаешь, я им понравился?

— Еще как. Хотя кого это волнует, они ведь всего лишь родители.

— Они *твои* родители, — сказал Огастус, бросив на меня взгляд. — К тому же я люблю нравиться. Это неправильно?

— Ну, нет никакой необходимости кидаться придерживать двери или осыпать меня комплиментами, чтобы мне понравиться, — заметила я.

Огастус резко ударил по тормозам, и я чуть не улетела вперед; дыхание сбилось. Я подумала о позитронной томографии. *Не волнуйся. Волноваться бесполезно.* Но я все равно волновалась.

Покрышки оставили на асфальте черные следы, когда мы, взревев мотором, умчались от знака «Стоп» и повернули налево к так называемому (непонятно, за какие заслуги) Грандвью (оттуда открывается вид на поле для гольфа, но ничего грандиозного в этом нет). Единственное, что, я знала, находится в этом направлении, — это кладбище. Огастус сунул руку в центральную консоль, открыл полную пачку сигарет и вынул одну.

— Ты их вообще выбрасываешь? — спросила я.

— Одно из многочисленных преимуществ жизни без табака в том, что пачки сигарет хватает *навечно*, — ответил он. — Эта у меня почти год. Несколько сигарет сломались у фильтра, но я считаю, что этой пачки мне легко хватит до восемнадцатилетия. — Он подержал фильтр пальцами и сунул сигарету в рот. — Так. Ладно. Назови то, чего ты никогда не видела в Индианаполисе.

— Хм. Стройных взрослых, — ответила я.

Он засмеялся:

— Хорошо. Продолжай.

— Ну, пляжей. Семейных ресторанов. Разнообразия рельефа.

— Прекрасные примеры наших недостатков. Прибавь сюда культуру.

— Да, с культурой у нас напряженно, — признала я, начиная понимать, куда он меня везет. — Мы что, едем в музей?

— Ну, можно и так сказать.

— Или мы едем в тот парк?

Гас разочарованно вздохнул.

— Да, мы едем в тот парк, — сказал он. — Ты уже догадалась, что ли?

— О чем догадалась?

— Ни о чем.

Позади музея находился парк с гигантскими скульптурами. Я слышала о нем, но никогда не бывала. Мы проехали мимо музея и остановились у баскетбольной площадки, заполненной огромными синими и красными стальными арками, изображавшими траекторию передаваемого мяча.

Мы спустились вниз с того, что в Индианаполисе сойдет за холм, на поляну, где дети лазали по огромному скелету. Ребра были мне примерно до пояса, а бедренная кость выше моего роста. Скульптура выглядела как детский рисунок, где скелет поднимается из земли.

У меня болело плечо. Я боялась, что из легких пошли метастазы. Я представляла, как раковая опухоль, словно скользкий угорь, с вероломными намерениями пробирается в кости, оставляя дыры в моем скелете.

— «Улетные кости», — начал Огастус. — Скульптура работы Юпа ван Лисхаута.

— Голландец, что ли?

— Да, — подтвердил Гас. — Как и Рик Смитс. Как и тюльпаны. — Гас остановился посреди поляны с костями и снял рюкзак сперва с одного плеча, потом с другого. Расстегнул молнию, вынул оранжевое одеяло, пинту апельсинового сока и несколько сандвичей со срезанными корками, завернутых в пленку.

— А почему все оранжевое? — спросила я, не позволяя себе думать, что все это каким-то образом ведет к Амстердаму.

— Ну как же, национальный цвет Нидерландов! Помнишь Вильгельма Оранского?

— Его в школе не проходят, — усмехнулась я, стараясь скрыть волнение.

— Сандвич будешь? — спросил он.

— Дай угадаю, — сказала я.

— Голландский сыр и помидоры. Помидоры, извини, мексиканские.

— Вечно ты разочаруешь, Огастус. Хоть бы тогда оранжевых помидоров достал!

Он засмеялся, а потом мы молча ели сандвичи, глядя, как дети лазают по скульптуре. Я не могла спросить напрямую, поэтому сидела в окружении всего голландского, неловкая и переполняемая надеждой.

В отдалении, купаясь в чистейшем солнечном свете, столь редком и драгоценном в моем городке, шумная детская компания превратила скелет в игровую площадку, резвясь посреди искусственных костей.

— Вот что мне в этой скульптуре нравится, — начал Огастус, держа незажженную сигарету двумя пальцами и постукивая по ней, словно стряхивал пепел. — Во-первых, кости достаточно далеко друг от друга, и ребенок не может устоять перед желанием попрыгать между ними. — Он сунул сигарету обратно в рот. — Ему хочется непременно пропрыгать всю грудную клетку до черепа. Во-вторых, скульптура своей сутью побуждает младость играть на костях. Бесконечность символических смыслов, Хейзел Грейс.

— Любишь ты символы, — сказала я, надеясь повернуть разговор к обилию голландских символов на нашем пикнике.

— Да, кстати, об этом. Ты, наверное, думаешь, почему приходится жевать сандвич с плохим сыром и пить апельсиновый сок и почему я надел фуфайку с голландцем, занимающимся спортом, который я не люблю.

— Ну, эти вопросы приходили мне в голову, — согласилась я.

— Хейзел Грейс, как многие дети до тебя — и я говорю это с большим к тебе расположением, — ты потратила заветное Желание поспешно, не думая о последствиях. Старуха с косой смотрела тебе в лицо, и страх умереть с Желанием в пресловутом кармане заставил тебя ткнуть пальцем в первое, что пришло тебе на ум. И ты, как многие другие, выбрала бездушные, искусственные удовольствия тематического луна-парка...

— Вообще-то поездка была прекрасная. Я видела Гуфи и Минни...

— Я не закончил свой монолог! Я его записал и заучил, будешь мешать, собьюсь, — перебил меня Огастус. — Пожалуйста, жуй свой сандвич и слушай. — Сандвич оказался невероятно черствым, но я улыбнулась и откусила с краешка. — О'кей. На чем я остановился?

— На искусственных удовольствиях.

Он убрал сигарету в пачку.

— Правильно, на бездушных, искусственных удовольствиях тематического луна-парка. Но позволь мне доказать, что настоящие герои Фабрики Желаний — это молодые мужчины и женщины, которые ждут, как Владимир и Эстрагон ждут Годо* или хорошие христианские девушки — свадьбы. Эти молодые герои ждут стоически, без жалоб, когда сбудется их единственное заветное Желание. Конечно, есть риск, что оно никогда не исполнится, но они хотя бы могут спокойно почить в могиле, зная, что внесли свою лепту в сохранение идеи заветного Желания. С другой стороны, что, если оно осуществится? Что, если ты поймешь, что твое заветное Желание — посетить гениального Питера ван Хаутена в его амстердамском изгнании, и истинно возрадуешься, что не истратила свое Желание раньше?

Огастус замолчал и молчал довольно долго. Я рассудила, что монолог закончился.

— Но я уже использовала свое Желание, — напомнила я.

---

* Герои пьесы С. Беккета «В ожидании Годо».

— А-а, — протянул он. И после паузы, которую, наверное, долго отрабатывал, добавил: — Зато я свое не истратил.

— Правда? — Я была поражена, что Огастус попал в кандидаты на Желание, притом что он уже снова ходит в школу и у него целый год ремиссия. Нужно быть очень больным, чтобы фонд «Джини» дал тебе право на Желание.

— Я получил его в обмен на ногу, — пояснил он. Солнце светило ему прямо в лицо, он щурился, чтобы смотреть на меня, отчего его нос прелестно морщился. — Учти, я не собираюсь отдавать тебе мое Желание. Но у меня тоже появился интерес встретиться с Питером ван Хаутеном, а без девушки, познакомившей меня с его книгой, встречаться с ним нет смысла.

— Решительно никакого, — подтвердила я.

— Я поговорил с людьми из «Джини», они меня поддержали. Сказали, в Амстердаме в начале мая просто сказка. Предложили уехать третьего мая, а вернуться седьмого.

— Огастус, это правда?

Он потянулся ко мне и коснулся щеки. Секунду я думала, что он меня поцелует. Я напряглась, и, видимо, он это заметил, потому что убрал руку.

— Огастус, — сказала я, — ты не обязан для меня это делать.

— Еще как обязан, — сказал он. — Я осознал свое заветное Желание!

— О Боже, ты лучший человек на свете, — восхитилась я.

— Ты небось говоришь это всем парням, которые финансируют тебе заграничные поездки, — ответил он.

Глава 6

Когда я вернулась, мама складывала постиранное белье и смотрела телешоу «Взгляд». Я рассказала ей, что означают тюльпаны, голландский скульптор и все остальное: Огастус использовал свое Желание, чтобы отвезти меня в Амстердам.

— Это слишком, — сказала она, качая головой. — Мы не можем принять такое практически от незнакомца.

— Он не незнакомец. Он мой второй лучший друг.

— После Кейтлин?

— После тебя, — поправила я. Это была правда, но я сказала это, потому что хотела поехать в Амстердам.

— Я спрошу у доктора Марии, — ответила она через секунду.

Доктор Мария сказала, что мне нельзя в Амстердам без взрослого, хорошо знакомого с моей болезнью. Это означало либо маму, либо саму доктора Марию (папа имел о раке примерно такие же представления, как я, — неполные и туманные, как об электрических цепях и океанских приливах, зато мама знала о дифференцированной карциноме щитовидной железы у подростков больше, чем многие онкологи).

— Значит, поедешь ты, — сказала я. — «Джини» оплатит. «Джини» всегда при деньгах.

— Но твой отец, — начала мама, — он без нас соскучится. Это будет нечестно по отношению к нему, а отпуск он взять не может.

— Ты что, шутишь? Папа будет только рад несколько дней смотреть телешоу не о девушках, мечтающих стать моделями, каждый вечер заказывать пиццу и есть ее с бумажных полотенец, чтобы не мыть тарелки.

Мама засмеялась. Мало-помалу она загорелась идеей поездки и начала набирать в телефоне список дел. Надо позвонить родителям Гаса и поговорить с представителями «Джини» о моих медицинских нуждах, узнать, заказали они нам уже отель и какие путеводители лучше — надо подготовиться, ведь у нас будет всего три дня. У меня заболела голова, поэтому я проглотила две таблетки адвила и решила вздремнуть.

Но сон не шел, поэтому я просто лежала в кровати, вспоминая пикник с Огастусом. Я не могла забыть момент, когда я напряглась от его прикосновения. Нежная фамильярность отчего-то покоробила. Я подумала, может, виной тому излишняя срежиссированность всего мероприятия? Огастус превзошел сам себя, но на пикнике все было немного чересчур, начиная с сандвичей, которые метафорически резонировали, но оказались несъедобными, и заканчивая вызубренным монологом, мешавшим нормально разговаривать. Все это казалось романтичным только внешне.

Правда в том, что я не хотела, чтобы он меня целовал, — так, как полагается хотеть подобные вещи. Он, конечно, красавец. И меня к нему тянет. Я думала об Огастусе в *этом* смысле, если говорить жаргоном сред-

ней школы, но в реальном, состоявшемся прикоснове-
нии было что-то не то.

Я поймала себя на неприятном волнении — неужели *придется* с ним целоваться, чтобы попасть в Амстердам? Думать об этом не хотелось, потому что а) по идее
об объятиях Огастуса полагалось мечтать безо всяких
вопросов и б) необходимость целовать кого-то за бес-
платную поездку наводила на мысли о проституции, а
я, надо признаться, не считая себя особенно хорошим
человеком, все же не предполагала, что первые шаги на
романтической почве станут у меня продажными.

С другой стороны, он же не попытался меня поцеловать, только дотронулся до моей щеки, и это даже не
было сексуально. Его движение не было призвано вызвать возбуждение, но оно все-таки было обдуманным,
потому что Огастус Уотерс не признает импровизаций.
Так что же он пытался мне передать? И почему я не захотела это принять?

В какой-то момент я поняла, что рассматриваю ситуацию с позиции Кейтлин, поэтому я решила послать ей
сообщение и попросить совета. Она тут же позвонила.

— У меня проблема с парнем, — сказала я.

— Потрясающе! — отозвалась Кейтлин.

Я рассказала ей все, включая неловкое прикоснове-
ние к щеке, умолчав лишь об Амстердаме и имени Огастуса.

— Ты уверена, что он красавчик? — спросила она,
когда я закончила.

— Абсолютно, — ответила я.

— Спортивный?

— Да, он прежде играл в баскетбол за школу Норт-
сентрал.

— Вау! А где вы познакомились?

— В этой жуткой группе поддержки.

— Хм, — задумалась Кейтлин. — Слушай, чистое любопытство: сколько ног у этого парня?

— Одна целая четыре десятых, — сообщила я с улыбкой. Баскетболисты в Индиане люди знаменитые, и хотя Кейтлин не ходила в Норт-сентрал, круг ее общения был поистине безграничен.

— Огастус Уотерс, — заключила она.

— Может быть.

— Боже мой, я видела его на вечеринках! Я бы ему все сделала... ну, не теперь, когда я знаю, что ты им интересуешься. Но, сладчайший Боже, как бы я скакала на этом одноногом пони по всему коралю!

— Кейтлин! — предупредила я.

— Прости. Думаешь, тебе придется быть сверху?

— Кейтлин! — воскликнула я.

— О чем мы говорили? А, да, ты и Огастус Уотерс. Слушай, а может, ты не той ориентации?

— Не думаю... Он точно мне нравится.

— Может, у него некрасивые руки? Иногда у красивых людей безобразные руки.

— Нет, руки у него удивительной красоты.

Через секунду Кейтлин спросила:

— Помнишь Дерека? Он со мной расстался на той неделе, решив, что где-то глубоко внутри мы фундаментально несовместимы и лишь сделаем себе больнее, если не остановимся. Он назвал это предупредительным кидком. Может, у тебя тоже предчувствие, что у вас фундаментальная несовместимость и ты предупреждаешь предупредительный кидок?

— Хм, — сказала я.

— Я просто думаю вслух.

— Сочувствую насчет Дерека.

— Ой, да я о нем уже забыла. Мой рецепт — коробка мятного печенья девочек-скаутов плюс сорок минут.

Я засмеялась:

— Ну что ж, спасибо, Кейтлин.

— Если решишь с ним закрутить, я буду ждать сладострастных подробностей.

— Обязательно, — сказала я. В трубке послышался звук поцелуя. — Пока, — попрощалась я, и Кейтлин нажала отбой.

Слушая Кейтлин, я поняла — у меня не было предчувствия, что я задену чувства Гаса. У меня возникло послечувствие.

Я открыла ноутбук и забила в поисковике «Кэролайн Мэтерс». Внешнее сходство было поразительным: такое же круглое от стероидов лицо, такой же нос, примерно та же фигура. Но глаза у нее были темно-карие (у меня зеленые), и она была смуглая, как итальянка.

Тысячи, буквально тысячи людей оставили соболезнования на ее странице. Я просматривала бесконечный перечень тех, кто тосковал по ней. Их было так много, что у меня ушел час, чтобы найти, где начинались сообщения «Мне очень жаль, что ты умерла» и заканчивались «Молюсь за тебя». Она скончалась год назад от рака мозга. Я посмотрела фотографии. Огастус был на многих ранних снимках: показывал, выставив большие пальцы, на неровный шрам поперек ее бритой головы, держал ее за руку на игровой площадке больницы «Мемориал» — оба стояли спиной в кадр, целовал, пока Кэролайн держала камеру на отлете, поэтому на снимке получились только их носы и закрытые глаза.

Дальше шли снимки Кэролайн до болезни — эти фотографии добавили друзья после ее смерти: красивая широкобедрая девушка с прекрасными формами и длинными прямыми траурно-черными волосами, падавшими на лицо. До болезни я мало походила на здоровую Кэролайн, но наши раковые ипостаси могли сойти за сестер. Неудивительно, что Огастус уставился на меня с первой минуты.

Я продолжала возвращаться к сообщению, отправленному на стенку Кэролайн два месяца назад — через девять месяцев после того, как девушки не стало: «*Тоскуем по тебе. Боль не ослабевает. Мы все словно получили незаживающие раны в твоей схватке, Кэролайн. Я скучаю по тебе. Я люблю тебя*».

Через некоторое время мама с папой объявили, что пора ужинать. Я закрыла ноут и встала, но не могла забыть сообщение на стенке Кэролайн Мэтерс: отчего-то оно лишило меня аппетита и вселило нервозность.

Я думала о плече, которое все еще ныло, и о некстати разболевшейся голове — не исключено, что из-за неотвязных мыслей о девушке, умершей от рака мозга. Я повторяла себе, что надо разделять воображаемое и действительное, быть здесь и сейчас, за круглым столом (пожалуй, слишком внушительного диаметра даже для троих и, несомненно, чрезмерно большого для двоих), с клеклой брокколи и бургером с черной фасолью, которую весь кетчуп в мире не сможет сдобрить. Я сказала себе, что воображаемые метастазы в мозге или плече не повлияют на реальное положение дел в организме и что подобные мысли лишь крадут мгновения жизни, состоящей из ограниченного и конечного числа секунд. Я даже уговаривала себя жить сегодня, как в свой лучший день.

Очень долго я не могла понять, почему слова, неизвестно кем написанные в Интернете покойной незна-

комке, так меня взволновали и заставили заподозрить
новообразование в собственном мозге. Голова реально
болела, хотя я по опыту знала, что боль — тупой и не-
специфический диагностический инструмент.

Так как в тот день в Папуа — Новой Гвинее землетря-
сения не случилось, родители не сводили с меня глаз, а
я не могла скрыть внезапный бурный паводок тревоги.

— Все в порядке? — спросила мама, пока я ела.

— Угу, — ответила я. Откусила от бургера. Проглотила. Попыталась сказать что-нибудь, что сказал бы
здоровый человек, чей мозг не затопила паника. —
В бургерах тоже брокколи?

— Немного, — сказал папа. — Как здорово, что вы
поедете в Амстердам!

— Да, — отозвалась я, стараясь не думать о фразе
«Мы все получили незаживающие раны в твоей схватке» и постоянно о ней думая.

— Хейзел, — спросила мама. — Ты где?

— Просто задумалась, — ответила я.

— Любовная рассеянность, — улыбнулся папа.

— Я вам не зайчиха, и я не влюблена в Гаса Уотерса
и ни в кого другого тоже, — ответила я, вдруг загоря-
чившись. *Незаживающие раны.* Будто Кэролайн Мэтерс
была бомбой, и, когда она взорвалась, окружающих за-
цепило шрапнелью.

Папа спросил, готова ли я к завтрашним занятиям.

— У меня довольно сложная домашка по алгебре, —
ответила я. — Настолько сложная, что профану не понять.

— А как твой приятель Айзек?

— Ослеп, — отрезала я.

— Ты сегодня ведешь себя как настоящий подросток, — заметила мама. Ее это, кажется, раздражало.

— Разве ты не этого хотела, мам? Чтобы я была нормальным подростком?

— Ну не обязательно в *такой* форме, но, конечно, мы с твоим отцом рады видеть, что ты становишься девушкой, заводишь друзей, ходишь на свидания...

— Я не хожу на свидания, — сказала я. — Я не хочу ходить на свидания. Это плохая идея, потеря времени и...

— Детка, — перебила меня мать. — Что случилось?

— Я как... как... я, как *граната*, мама! Я граната, в какой-то момент я взорвусь, поэтому хочу заранее минимизировать случайные жертвы, понятно?

Папа втянул голову в плечи, словно наказанный щенок.

— Граната, — повторила я. — Я хочу держаться подальше от людей, читать книги, думать, быть с вами двоими, потому что не задеть вас у меня уже никак не получится, вы слишком много в меня вложили; так что, пожалуйста, позвольте мне поступать, как я хочу, ладно? Я не в депрессии. И мне не надо из нее выкарабкиваться. Я не могу быть нормальным подростком, потому что я граната.

— Хейзел, — начал папа, но у него перехватило горло. Он много плакал, мой папа.

— Я пойду к себе в комнату и немного почитаю, о'кей? Со мной все хорошо, правда, хорошо. Я просто хочу почитать.

Я начала читать заданный нам в колледже роман, но мы живем в прискорбно тонкостенном доме, поэтому я слышала почти весь разговор, который велся шепотом. Папа сказал: «Меня это просто убивает», мама: «Вот этого ей точно слышать не надо», папа: «Мне очень жаль, но...», мама: «Ты что, не благодарен?», и папа:

«Господи, конечно, благодарен!» Я напряженно вчитывалась в строки, но шепот назойливо лез мне в уши.

Поэтому я включила музыку на ноутбуке и под любимую группу Огастуса, «Лихорадочный блеск», в качестве саундтрека открыла памятные страницы Кэролайн Мэтерс и стала читать, как героически она боролась, как о ней все тоскуют, и что теперь она в лучшем мире, и будет жить вечно в их памяти, и как все, кто ее знал, — все! — подавлены ее уходом.

Наверное, мне полагалось ненавидеть Кэролайн Мэтерс, потому что она была с Огастусом, но я ничего такого не ощущала. Я смутно представляла ее из посмертных постов, но ненавидеть там было просто нечего: Кэролайн тоже была профессионально больным человеком. Меня волновало одно: когда умру я, обо мне нечего будет сказать, кроме того, что я героически боролась, будто все, что я сделала в жизни, — это заболела раком.

В конце концов я начала читать короткие сообщения Кэролайн Мэтерс, написанные скорее всего родителями, потому что, очевидно, ее рак мозга относился к той разновидности, которая лишает вас личности раньше, чем жизни.

Все оказались примерно такими: *«У Кэролайн по-прежнему отклонения в поведении: она с трудом справляется с раздражением и отчаянием из-за невозможности говорить (мы, конечно, тоже очень расстроены, но у нас есть более социально приемлемые способы выражать свой гнев). Гас зовет Кэролайн «Халк крушить», что нашло живой отклик у врачей. Ничего легкого в ситуации нет ни для кого из нас, но что видим, о том и шутим. Надеемся забрать ее домой в четверг. Мы вам напишем».*

Вряд ли стоит говорить, что в четверг она домой не попала.

* * *

Понятно, почему я напряглась, когда он меня коснулся. Быть с ним означает причинять ему боль — это неизбежно. Я это почувствовала, когда он потянулся ко мне. Мне казалось, будто я совершаю по отношению к нему акт насилия, потому что так оно и было.

Из желания избежать разговора я решила написать ему сообщение:

«Привет. О'кей, я не знаю, понимаешь ты или нет, но я не могу с тобой целоваться. Не то чтобы у тебя это желание на лице написано, но я просто не могу. Когда я пытаюсь думать о тебе под этим углом, мне сразу кажется, что это надо прекращать. Может, тебе это покажется лишенным смысла. В любом случае извини».

Через несколько минут от него пришло сообщение:

«О'кей».

Я написала:

«О'кей».

Он ответил:

«О Боже, перестань со мной флиртовать!»

Я набрала:

«О'кей».

Телефон зажужжал через несколько секунд:

«Я позволил себе повалять дурака, Хейзел Грейс. Я все понимаю. (Однако мы оба знаем, что "о'кей" — очень игривое слово. "О'кей" пропитано чувственностью!)»

Мне очень хотелось еще раз ответить Огастусу «О'кей», но я представила его на моих похоронах, и это помогло мне написать правильный ответ:

«Извини».

Я попыталась лечь спать в наушниках, но вскоре вошли мама и папа. Мама схватила с полки Блуи и прижала к животу, а папа присел к моему столу на мой ученический стул и спокойно произнес:

— Ты не граната. Только не для нас. Мысль о том, что ты можешь умереть, повергает нас в глубокую печаль, Хейзел, но ты не граната. Ты чудесна. Ты этого не знаешь, детка, потому что у тебя не было ребенка, ставшего блестящей юной читательницей, проявляющей также некоторый интерес к дурацким телешоу, но радость, которую ты нам приносишь, гораздо больше нашей скорби о твоей болезни.

— О'кей, — согласилась я.

— Это правда, — сказал папа. — Я не стал бы лгать о таких вещах. Будь от тебя больше проблем, чем пользы, мы бы просто выкинули тебя на улицу.

— Мы не сентиментальны, — подхватила мама с невозмутимым видом. — Оставили бы тебя у приюта с запиской, пришпиленной к пижаме.

Я рассмеялась.

— Ты не обязана ходить в группу поддержки, — добавила мама. — Ты ничем не обязана заниматься... кроме учебы. — Она вручила мне медведя.

— По-моему, Блуи сегодня может поспать на полке, — попыталась отказаться я. — Позволь тебе напомнить, что мне больше тридцати трех половинок лет.

— Ну приюти его на ночь, — попросила она.

— Мам! — воскликнула я.

— Ему одиноко, — надавила она на жалость.

— Боже мой, ну мам! — возмутилась я, но взяла дурацкого Блуи и заснула с ним в обнимку.

Я по-прежнему обнимала Блуи одной рукой, когда проснулась в четыре утра с апокалиптической болью, пробивавшейся из самого центра головы.

Глава 7

Я закричала, чтобы разбудить родителей, и они вбежали в комнату, но ничем не могли приглушить взрыв сверхновой в моем мозге и бесконечные оглушительные вспышки петард под крышкой черепа, и я уже решила, что ухожу окончательно, и сказала себе, как говорила и раньше, что тело отключается, когда боль становится слишком сильной, сознание временно, и это пройдет. Но, как всегда, сознания я не теряла. Я лежала на кромке берега, и волны перекатывались через меня, не давая утонуть.

Машину вел папа, одновременно он говорил по телефону с больницей, а я лежала на заднем сиденье, положив голову к маме на колени. Ничего поделать было нельзя: от крика становилось только хуже. От любых воздействий боль усиливалась.

Единственным выходом было пытаться развалить мир, сделать все черным, безмолвным и необитаемым, вернуться во времена до Большого взрыва, в начало, когда было Слово, и жить в пустоте несозданного пространства наедине со Словом.

Люди говорят о мужестве раковых больных, и я не отрицаю это мужество. Меня и кололи, и резали, и травили годами, а я все ковыляю. Но не впадайте в заблуждение: в тот момент я была бы искренне рада умереть.

Я проснулась в отделении интенсивной терапии. Я сразу поняла, где нахожусь, потому что обстановка была не домашняя, вокруг — много разных пищащих устройств и я лежала одна. В детском отделении родителям не разрешают круглосуточно присутствовать в палате интенсивной терапии из-за риска инфекции. В коридоре слышались громкие рыдания — умер чей-то ребенок. Я нажала красную кнопку вызова.

Через несколько секунд вошла медсестра.

— Привет, — произнесла я.

— Здравствуй, Хейзел, я Элисон, твоя медсестра, — представилась она.

— Привет, Элисон-моя-медсестра, — повторила я.

На этом силы у меня закончились и снова навалилась усталость. В следующий раз я ненадолго проснулась, когда родители, плача, обцеловывали мое лицо. Я хотела их обнять, но от этого усилия сразу же все заболело, и мама с папой сказали мне, что никакой опухоли мозга нет, а головную боль вызвала низкая оксигенация, потому что легкие у меня наполнились жидкостью, целых полтора литра (!!!) откачали через трубку, у меня может побаливать в боку, куда — *ох, вы только гляньте!* — вставлена трубка, идущая к пластиковому пузырю, наполовину полному янтарной жидкости, больше всего напоминающей, клянусь, папин любимый эль. Мама пообещала, что меня честно-честно отпустят домой, просто придется регулярно делать дренаж и перед сном подключаться к аппарату искусственной вентиляции легких — проще говоря, ИВЛ, — который будет нагнетать и отсасывать воздух из моих дерьмовых легких. А в первую ночь мне сделали полное позитронное сканирование, и — ура! — новых опухолей нет, и старые не увеличились. Боль в плече тоже была вызвана недостатком кислорода — сердце работало на пределе.

— Доктор Мария утром высказалась насчет тебя очень оптимистично, — сказал папа. Мне доктор Мария нравилась — она нам не лгала, и услышать про ее оптимизм было приятно.

— Это был просто случай, Хейзел, — утешала мама. — Случай, который можно пережить.

Я кивнула. Элисон-моя-медсестра вежливо выпроводила родителей из палаты и предложила ледяной стружки. Я кивнула, она присела на краешек койки и начала кормить меня с ложечки.

— Значит, пару дней ты проспала, — начала Элисон. — Хм, что же ты пропустила... Знаменитости принимали наркотики, политики ссорились, другие знаменитости надели бикини, обнажившие несовершенство их тел. Одни команды выиграли матчи, другие проиграли. — Я улыбнулась. — Нельзя просто так от всех скрываться, Хейзел. Ты многое пропускаешь.

— Еще, — попросила я, кивнув на белую пластиковую чашку в руке медсестры.

— Не надо бы, — сказала она, — но я бунтарка. — Она сунула мне в рот еще одну ложку ледяной крошки. Я пробормотала «спасибо». Спасибо, Боженька, за хороших медсестер. — Устала? — спросила Элисон. Я кивнула. — Поспи. Я постараюсь кое-кого отвлечь и дать тебе пару часов, прежде чем придут мерить тебе температуру, проверять пульс, дыхание... — Я снова сказала «спасибо» — в больнице часто благодаришь — и попыталась устроиться в кровати поудобнее. — А что же ты не спрашиваешь о своем бойфренде? — удивилась Элисон.

— У меня нет бойфренда, — ответила я.

— Но какой-то мальчик не выходит из комнаты ожидания с тех пор, как тебя привезли.

— Он хоть не видел меня такую?!

— Нет, сюда можно только родственникам.

Я кивнула и забылась неглубоким сном.

Только через шесть дней меня отпустили домой, через шесть дней ничегонеделания, разглядывания акустической потолочной плитки, просмотра телевизора, сна, боли и желания, чтобы время шло быстрее. Огастуса я не видела, только родителей. Волосы у меня сбились в птичье гнездо, своей шаркающей походкой я напоминала пациентов с деменцией, но с каждым днем чувствовала себя немного лучше. Сон борется с раком, в тысячный раз сказал мой лечащий врач Джим, осматривая меня как-то утром в присутствии студентов-медиков.

— Тогда я просто машина для борьбы с раком, — отозвалась я.

— Правильно, Хейзел. Отдыхай и скоро поедешь домой.

Во вторник мне сказали, что в среду я поеду домой. В среду под небольшим присмотром два студента-медика вынули у меня из бока дренаж — ощущение, будто тебя закалывают в обратном направлении, — но все прошло не очень гладко, поэтому было решено оставить меня до четверга. Я начала уже думать, что стала объектом какого-то экзистенциалистского эксперимента с постоянно отдаляемым удовольствием, когда в пятницу утром пришла доктор Мария, с минуту меня осматривала и наконец сказала, что я могу идти.

Мама открыла свою бездонную сумку, демонстрируя, что у нее все время была с собой одежда, в которой можно ехать домой. Вошла медсестра и сняла катетер. Я почувствовала себя выпущенной на свободу, хотя мне по-прежнему нужно было возить за собой кислородный баллон. Я потопала в ванную, приняла первый за неделю душ, оделась и так от всего этого устала, что мне пришлось прилечь и отдышаться. Мама спросила:

— Хочешь увидеть Огастуса?

— Да, пожалуй, — ответила я через минуту. Встав, я дотащилась до одного из пластиковых стульев у стены и сунула под него баллон. Сил у меня после этого не осталось.

Папа вернулся с Огастусом через несколько минут. Волосы у него были спутаны и свешивались на лоб. Увидев меня, он расплылся в фирменной дурацкой улыбке Огастуса Уотерса, и я невольно улыбнулась в ответ. Он присел в синее кресло, обитое искусственной кожей, и подался ко мне. Несмотря на все свои старания, он был не в силах прогнать улыбку.

Мама с папой оставили нас одних, отчего мне стало неловко. Я с трудом выдерживала взгляд его глаз, хотя они были настолько хороши, что в них трудно было смотреть невозмутимо.

— Я скучал по тебе, — сказал Огастус.

Я ответила тише, чем собиралась:

— Спасибо, что не пытался меня увидеть, когда я выглядела как черт-те что.

— Честно говоря, ты и сейчас ужасно выглядишь.

Я засмеялась:

— Я тоже по тебе соскучилась. Просто не хотела, чтобы ты видел... все это. Я хотела... ладно, не важно. Не всегда же получаешь желаемое.

— Неужели? — удивился он. — А я-то думал, что мир — это фабрика по исполнению желаний!

— А вот, оказывается, не так, — возразила я. Огастус сидел такой красивый... Он потянулся к моей руке, но я покачала головой.

— Нет, — тихо произнесла я. — Если мы будем встречаться, это все должно быть не так.

— О'кей, — согласился он. — С фронта реализации желаний у меня есть хорошие и плохие сводки.

— О'кей, — сказала я.

— Плохие новости в том, что мы не можем ехать в Амстердам, пока тебе не станет лучше. Впрочем, «Джини» обещала подождать со своими чудесами, пока ты не поправишься.

— Это хорошая новость?

— Нет, хорошая новость в том, что пока ты спала, Питер ван Хаутен снова поделился с нами плодами своего блестящего ума.

Он опять потянулся к моей руке, но на этот раз сунул мне в ладонь многократно сложенный листок писчей бумаги с тисненым заголовком «Питер ван Хаутен, беллетрист в отставке».

Я прочла письмо уже дома, устроившись на своей огромной пустой кровати, где никакие медицинские процедуры не могли мне помешать. Неровный, с сильным наклоном почерк ван Хаутена я разбирала целую вечность.

Уважаемый мистер Уотерс!

По получении Вашего электронного послания, датированного четырнадцатым апреля, я вполне про-

чувствовал шекспировскую сложность Вашей траге-
дии. Все персонажи Вашей истории имеют незыбле-
мую гамартию: она — свою тяжелую болезнь, Вы — свое
сравнительно хорошее здоровье. Когда ей лучше или
Вам хуже, звезды смотрят на вас не столь косо, хотя
вообще смотреть косо — основное занятие звезд, и
Шекспир не мог ошибиться сильнее, чем когда вложил
в уста Кассия фразу: «Не в звездах, нет, а в нас самих
ищи / Причину, что ничтожны мы и слабы»*. Легко
так говорить, когда ты римский аристократ (или
Шекспир), однако в реальности наши звезды ошиба-
ются не так уж и редко.

Раз речь зашла о несовершенствах старого Уилла,
Ваше письмо о юной Хейзел напомнило мне пятьдесят
пятый сонет Барда, который начинается: «Ни мра-
мору, ни злату саркофага, / Могущих сих не пережить
стихов, / Не в грязном камне, выщербленном влагой, /
Блистать ты будешь, но в рассказе строф»** (не по
теме, но время действительно худшая из шлюх: кида-
ет каждого). Стихи прекрасны, но утверждение лож-
но: мы действительно помним «веские слова» Шекспира, но что мы помним о человеке, память которого
он увековечил? Ничего. Все, что можно сказать с уверенностью, — это был мужчина; об остальном нам
остается лишь догадываться. Шекспир сказал нам
очень мало о человеке, которого похоронил в своем лин-
гвистическом саркофаге (прошу Вас быть свидете-
лем — когда мы говорим о литературе, мы делаем это
в настоящем времени. Когда мы говорим о мертвых,
мы уже не столь любезны). Нельзя обессмертить ушед-
ших, написав о них. Язык хоронит, но не воскрешает

---

* У. Шекспир. Юлий Цезарь. Пер. П. Козлова.
** Пер. В. Брюсова.

(откровенно признаюсь, я не первый, кто сделал это наблюдение; ср. стихотворение Маклиша «Замшелый мрамор царственных могил», где есть героическая строка: «Я скажу, что ты умрешь, и никто тебя не вспомнит»).

Я отступил от темы, но вот в чем мораль: мертвые видны только чудовищно бдительному глазу памяти. Живые, слава Небесам, сохраняют способность удивлять и разочаровывать. Ваша Хейзел жива, Уотерс, и Вы должны уважать ее решение, особенно если оно принято осознанно. Она щадит Вас, желает избавить от боли; позвольте же ей так поступить. Возможно, Вы не считаете логику юной Хейзел убедительной, но я бреду по этой юдоли слез дольше, чем Вы, и, с моей точки зрения, Ваша девушка отнюдь не сумасшедшая.

Искренне Ваш

Питер ван Хаутен.

Он действительно собственноручно нам написал. Я лизнула палец и потыкала бумагу. Чернила немного расплылись. Настоящие.

— Мама, — позвала я. Я говорила негромко, но мне и не нужно было — она всегда наготове.

Мама просунула голову в дверь:

— Ты в порядке, деточка?

— Можешь сейчас позвонить доктору Марии и спросить, убьет ли меня трансконтинентальный перелет?

Глава 8

Спустя два дня у нас состоялось расширенное заседание раковой коллегии. Время от времени группа врачей, социальных работников, физиотерапевтов и кого-там-еще собиралась за большим столом в конференц-зале и обсуждала мою ситуацию (не с Огастусом Уотерсом и не с Амстердамом. С раком).

Вела заседание доктор Мария. Когда я вошла, она меня обняла. Она любит обниматься.

Я чувствовала себя вроде получше. Теперь я спала с ИВЛ, и легкие казались почти нормальными, хотя я, собственно говоря, уже не помню, каково это — иметь нормальные легкие.

Собравшись, все устроили большое представление: вдумчиво листали свои бумаги и всячески делали вид, что там содержится *вся* информация обо мне. Затем доктор Мария сказала:

— Хорошая новость заключается в том, что фаланксифор продолжает сдерживать рост метастазов, но у нас возникли серьезные проблемы со скоплением жидкости в легких. Вопрос в том, как нам действовать дальше.

При этом она взглянула на меня, словно ожидая ответа.

— Хм, — сказала я. — Мне кажется, я не самый квалифицированный специалист в этой комнате, чтобы отвечать на такой вопрос.

Она улыбнулась:

— Верно, я ждала ответа от доктора Саймонса. Доктор Саймонс?

Это был второй онколог какой-то там специализации.

— На примере других пациентов мы знаем, что большинство опухолей в конце концов вновь начинают расти, несмотря на фаланксифор, но будь они причиной скопления эксcудата, мы бы увидели этот рост при сканировании, а мы его не обнаружили. Значит, причина пока не в этом.

«Пока», — отметила я.

Доктор Саймонс постукивал по столу указательным пальцем.

— Возникло мнение, что фаланксифор провоцирует отек, но мы столкнемся с более серьезными проблемами, если от него откажемся.

Доктор Мария добавила:

— Нам почти не известны последствия употребления фаланксифора. Очень немногие принимают его так долго, как ты.

— Значит, мы ничего не будем делать?

— Мы будем продолжать курс фаланксифора и чаще дренировать твои легкие. Нужно стараться предупреждать отек. — Меня вдруг отчего-то затошнило, я даже испугалась, что вырвет. Мне отвратительны заседания раковой коллегии вообще, но это не нравилось особенно сильно. — Рак у тебя не проходит, Хейзел, но мы видели пациентов с твоей степенью опухолей, которые жили долгое время. — (Я не спросила, что она разумеет под долгим временем. Я уже делала эту ошибку.) — Я знаю, что сразу после интенсивной терапии тебе может показаться, что это не так, но скопление жидкости, по крайней мере сейчас, мы в состоянии контролировать.

— А нельзя пересадить мне легкие? — спросила я.

Доктор Мария поджала губы.

— К сожалению, тебя не признают подходящим реципиентом, — ответила она. Я поняла. Бесполезно тратить хорошие легкие на безнадежный случай. Я кивнула, стараясь не подать виду, что услышанное меня задело. Папа тихо заплакал. Я не оглядывалась, но довольно долго никто ничего не говорил, поэтому его всхлипы были единственными звуками в комнате.

Мне страшно не хотелось его огорчать. Обычно я об этом забывала, но беспощадная правда в следующем: родители, может, и счастливы, что я у них есть, но я — альфа и омега их страданий.

Незадолго до Чуда, когда я лежала в интенсивной терапии и все шло к тому, что я сыграю в ящик, а мама повторяла: «Не стыдно и сдаться», и я старалась сдаться, но легкие продолжали требовать воздуха, мама прорыдала папе в грудь то, что я хотела бы никогда не слышать, и надеюсь, мама никогда об этом не узнает. Она сказала: «Теперь меня никто не назовет мамой!» Это задело меня за живое.

Я невольно думала об этом до конца заседания раковой коллегии, не в силах забыть, как она это сказала: словно ее жизнь уже никогда не будет нормальной, а это значило, что, пожалуй, и не будет.

В общем, в итоге мы решили все продолжать, как раньше, только чаще дренировать легкие. Я спросила, можно ли мне съездить в Амстердам, на что доктор Саймонс откровенно засмеялся, но доктор Мария возразила:

— А почему нет?

Доктор Саймонс с нажимом переспросил:

— Почему нет?

А доктор Мария ответила:

— Да, я не вижу причин, почему бы и не съездить. В самолетах есть кислород, в конце концов.

Доктор Саймонс сказал:

— Они что, повезут аппарат для ИВЛ через таможенный контроль?

А доктор Мария ответила:

— Да, или там будут ее с ним ждать.

— Подвергать пациентку — одну из самых перспективных в выборке с фаланксифором — восьмичасовому полету при отсутствии врачей, досконально знающих ее случай? Это рецепт катастрофы.

Доктор Мария пожала плечами.

— Это несколько повысит риск, — признала она, но тут же повернулась ко мне и добавила: — Но это твоя жизнь.

Да только вот не совсем. По дороге домой родители договорились: я не поеду в Амстердам, пока медики не вынесут вердикт, что это безопасно.

Вечером позвонил Огастус. Я уже была в постели — теперь я ложилась спать сразу после ужина, — десяток подушек с Блуи в придачу подпирали меня со всех сторон, на коленях лежал ноутбук.

Взяв трубку, я произнесла:

— Плохие новости.

Он сказал:

— Черт, какие?

— Не могу лететь в Амстердам. Один из врачей заявил, что это плохая идея.

Огастус секунду молчал.

— Боже, — прошептал он, — надо было просто оплатить поездку самому. Забрать тебя в Амстердам прямо от Улетных костей.

— Тогда почти фатальная деоксигенация случилась бы у меня в Амстердаме, и тело отправили бы домой в багажном отсеке, — возразила я.

— Возможно, — признал он. — Но до этого мой широкий романтический жест обязательно был бы вознагражден хорошим сексом.

Я так смеялась, что почувствовала место, где в боку стоял дренаж.

— Ты смеешься, потому что это правда, — заметил он.

Я снова засмеялась.

— Это правда или нет?

— Пожалуй, нет, — ответила я и добавила через секунду: — Хотя кто его знает.

Он застонал в отчаянии:

— Помереть мне девственником!

— Ты девственник? — удивилась я.

— Хейзел Грейс. У тебя ручка и бумага под рукой? — Я сказала, что да. — Ладно, тогда нарисуй кружок. — Я нарисовала. — Теперь нарисуй маленький кружок внутри первого! — Я так и сделала. — Большой кружок — это девственники. Маленький — это семнадцатилетние девственники без одной ноги.

Я снова засмеялась и сказала, что общение, ограничивающееся почти исключительно детской больницей, тоже не способствует неразборчивости в связях. Мы поговорили о блестящем замечании Питера ван Хаутена о том, что время — худшая из шлюх, и хотя я лежала в кровати, а Гас сидел в своем подвале, мне снова показалось, будто мы находимся вместе в несуществующем третьем пространстве, которое я с удовольствием посетила бы с ним.

Когда я нажала отбой, в комнату вошли мама с папой, и хотя для троих кровать была узковата, они легли по обе стороны от меня, и мы втроем смотрели «Топ-модель по-американски». Девушку Селену, которая мне не нравилась, наконец отсеяли, отчего я неожиданно повеселела. Затем мама подключила меня к ИВЛ и подоткнула одеяло, а папа поцеловал в лоб, уколов щетиной, и я закрыла глаза.

Дыша за меня, ИВЛ со мной не советовался, что очень раздражало, но зато он издавал очень прикольные звуки, урча с каждым вздохом и жужжа на выдохе. Я представила, что это храпит дракон, будто у меня появился домашний дракон, который свернулся рядышком и из вежливости старается дышать одновременно со мною. С этой мыслью я заснула.

Утром я встала поздно. Посмотрела телевизор, лежа в постели, проверила почту и начала писать и-мейл Питеру ван Хаутену о том, что не могу приехать в Амстердам, но клянусь жизнью матери, что никогда ни с кем не поделюсь содержанием сиквела, у меня даже нет такого желания, потому что я большая эгоистка, и пусть он только скажет, мошенник Тюльпановый Голландец или нет, выйдет ли за него мама Анны и что станется с хомяком Сизифом.

Однако письмо я не отослала. Оно получилось слишком жалким даже для меня.

Часа в три, когда Огастус, по моим подсчетам, вернулся из школы, я вышла на задний дворик и набрала его номер. Пока шли гудки, я села на газон — запущенный и поросший одуванчиками. Качели по-прежнему стояли рядом; маленькая канавка, которую я выбила ногами в детстве, отталкиваясь от земли, чтобы раскачаться повыше, заросла сорняками. Помню, папа принес домой эти качели фирмы «Игрушки — это мы», собрал во дворе на пару с соседом и настоял, что протестирует их первым, отчего чертовы качели чуть не сломались.

Небо было серое, низкое, собирался дождь, но пока не упало ни капли. Я нажала отбой, когда включился автоответчик Огастуса, и положила телефон рядом с собой, в грязь, глядя на качели и думая, что променяла бы все дни болезни, которые мне остались, на несколько здоровых. Я говорила себе, что могло быть и хуже, мир — не фабрика по исполнению желаний, я живу с раком, а не умираю от него и не имею права сдаваться без боя, потом я начала едва слышно повторять: «Глупо-глупо-глупо-глупо-глупо...», и так долго-долго, пока слово не потеряло смысл. Я еще повторяла, когда перезвонил Огастус.

— Привет, — сказала я.

— Хейзел Грейс, — произнес он.

— Привет, — снова сказала я.

— Ты что, плачешь, Хейзел Грейс?

— Ну, вроде того.

— Почему? — спросил он.

— Потому что я хочу поехать в Амстердам, чтобы ван Хаутен рассказал, что случится после финала кни-

ги, и мне не нужна такая вот жизнь, а тут еще небо давит, и старые качели стоят над душой, отец сделал, когда я была маленькой...

— Я должен немедленно увидеть эти слезы на старых качелях, — произнес он. — Приеду через двадцать
минут.

Я осталась в патио, потому что мама всегда становится крайне озабоченной и принимается душить своим вниманием, когда я плачу, потому что плачу я редко. Я знала, что она *привяжется* и станет убеждать: я не
должна учить врачей, как меня лечить. От этого разговора меня затошнит.

Не то чтобы у меня были четкие воспоминания о
здоровом отце, раскачивавшем здоровую малышку, которая повторяла: «*Выше, выше!*» — или о другом метафорически резонирующем моменте. Качели стояли за-
брошенными — два маленьких сиденья, формой напо-
минавшие улыбку с детского рисунка, печально застыв,
свешивались с посеревшей деревянной балки.

Позади меня открылась раздвижная стеклянная
дверь. Я обернулась. На пороге стоял Огастус в штанах
цвета хаки и летней клетчатой рубашке. Я вытерла лицо
рукавом и улыбнулась.

— Привет, — сказала я.

У него ушла секунда на то, чтобы присесть на траву
рядом со мной, и он не удержался от гримасы, довольно неуклюже приземлившись на задницу.

— Привет, — откликнулся он наконец. Я взглянула
на него. Гас смотрел мимо, куда-то во двор. — Теперь
мне понятна причина твоей хандры. — Он обнял меня
рукой за плечи. — Старые унылые дурацкие качели.

Я боднула его головой в плечо.

— Спасибо, что приехал.

— Ты понимаешь, что, отдаляясь от меня, ты не уменьшишь моей любви к тебе? — спросил он.

— Наверное, — ответила я.

— Попытки спасти меня от тебя обречены на провал, — предупредил он.

— Почему? Почему ты вообще обратил на меня внимание? Недостаточно натерпелся? — уточнила я, имея в виду Кэролайн Мэтерс.

Гас не ответил, продолжая держаться за меня, — я чувствовала его сильные пальцы на левой руке.

— Надо что-то сделать с этими долбаными качелями, — заявил он. — Я тебе говорю: девяносто процентов проблемы — в них.

Когда я успокоилась, мы пошли в дом и вместе сели на диван, поставив ноутбук наполовину на колено (протеза) Гаса, а наполовину — на мое.

— Горячо, — сказала я о нагревшемся ноуте.

— Уже? — улыбнулся Гас. Он открыл сайт распродаж под названием «Бесплатно или за грош», и мы начали составлять объявление.

— Название? — спросил он.

— Качели ищут дом, — предложила я.

— Бесконечно одинокие качели ищут любящий дом, — уточнил он.

— Одинокие качели с легкими педофилическими наклонностями ищут детские попки, — решила пошутить я.

Он засмеялся:

— Вот поэтому...

— Что?

— Вот поэтому ты мне и нравишься. Ты хоть понимаешь, как редко можно встретить красивую девушку, способную образовать прилагательное от слова «педофил»? Ты так стараешься быть собой, что даже не догадываешься, насколько ты уникальна.

Я глубоко вдохнула через нос. В мире всегда не хватает воздуха, но в тот момент я ощутила это особенно остро.

Мы писали объявление, поправляя друг друга, и в конце концов остановились на таком варианте:

Бесконечно одинокие качели ищут любящий дом
Качели, не новые, но хорошо сохранившиеся, ищут
новый дом. Дайте своему ребенку или детям воспоминания, чтобы однажды он, она или они выглянули на задний двор и остро ощутили сентиментальную ностальгию, как я сегодня. Бытие хрупко и мимолетно, о читатель, но с этими качелями ваш(и) ребенок (дети) познакомится (познакомятся) с взлетами и падениями человеческой жизни безопасно и ненавязчиво и усвоит (усвоят) важную вещь: как сильно ни отталкивайся и как высоко ни взлетай, а выше головы не прыгнешь!
В данный момент качели обитают неподалеку от Восемьдесят третьей улицы и Спринг-Милл.

После этого мы включили телевизор, но не нашли ничего стоящего, поэтому я взяла с прикроватной тумбочки «Царский недуг» и принесла в гостиную, и Огастус Уотерс читал вслух, а мама готовила ленч и слушала.

— «Стеклянный мамин глаз повернулся внутрь», — начал Огастус. Пока он читал, я влюбилась — так, как мы обычно засыпаем: медленно, а потом вдруг сразу.

Проверив час спустя почту, я обнаружила толпу желающих забрать качели — нам было из кого выбрать.

Поразмыслив, мы остановились на человеке по имени Дэниел Альварес, который прислал фотографию своих троих детей за компьютерной игрой и подписал: «Я очень хочу, чтобы они хоть изредка гуляли». Я ответила ему и предложила заехать за качелями, когда ему будет удобно.

Огастус спросил, не хочу ли я поехать с ним в группу поддержки, но я устала от напряженного дня Боления Раком и отказалась. Мы вместе сидели на диване, когда он сначала вдруг рывком встал, а потом тут же упал обратно и быстро поцеловал меня в щеку.

— Огастус! — воскликнула я.

— По-дружески, — заверил он, снова оттолкнулся и на этот раз встал по-настоящему. Сделав два шага к моей матери, он сказал: — Видеть вас всегда удивительно приятно. — И мама раскрыла ему объятия, а он нагнулся, поцеловал мою маму в щеку и обернулся: — Видишь?

Я пошла спать сразу после ужина, и урчание ИВЛ заглушило звуки остального мира за пределами моей комнаты.

Качелей я больше никогда не видела.

Я спала долго, десять часов, возможно, из-за медленного выздоровления, или потому, что сон борется с раком, или потому, что я подросток без определенного времени пробуждения. Я еще недостаточно окрепла, чтобы вернуться к занятиям в колледже. Когда я почувствовала, что уже хочу встать, я сняла маску ИВЛ, вставила в нос кончики канюли, включила оксигенатор и вынула из-под кровати ноутбук — я сунула его туда накануне вечером.

В почте оказалось письмо от Лидевидж Флигентхарт.

Дорогая Хейзел!

Я получила уведомление от «Джини», что вы с Огастусом Уотерсом и вашей матушкой будете в Амстердаме четвертого мая. Осталась всего неделя! Питер и я очень рады и с нетерпением ждем возможности с вами познакомиться. Ваш отель, «Философ», всего через одну улицу от дома Питера. Наверное, дадим вам денек прийти в себя после перелета и, если вам удобно, встретимся в доме Питера пятого мая часиков в десять утра, и за чашкой кофе он ответит на ваши вопросы о его романе. А после, если захотите, можем пройтись по музеям или посетить дом Анны Франк.

С самыми наилучшими пожеланиями

Лидевидж Флигентхарт, помощник-референт
сэра Питера ван Хаутена,
автора «Царского недуга».

— Мама, — сказала я. Она не ответила. — Мама! — заорала я. Снова ничего. — Ма-ма!!!

Она вбежала, завернувшись в старое вытертое розовое полотенце, придерживая его под мышками, мокрая и слегка испуганная:

— Что случилось?

— Ничего. Прости, я не знала, что ты в душе, — сказала я.

— В ванной, — поправила мама. — Я... — Она закрыла глаза. — Просто хотела пять секунд полежать в ванне. Прости. Что случилось?

— Можешь позвонить в «Джини» и сказать, что поездка отменяется? Я получила и-мейл от помощницы Питера ван Хаутена, она думает, что мы едем...

Мама поджала губы и, прищурившись, посмотрела куда-то мимо меня.

— Что? — спросила я.

— Я не должна говорить тебе до прихода папы...

— *Что?* — взвыла я.

— Поездка не отменяется, — объяснила она наконец. — Вчера нам звонила доктор Мария и произнесла убедительную речь, что ты должна жить своей жи...

— МАМУЛЯ, Я ТЕБЯ ОБОЖАЮ!!! — завопила я, она подошла к кровати и позволила себя обнять.

Я написала Огастусу сообщение, потому что он был в школе.

«Третьего мая ты еще свободен? :-)»

Он немедленно ответил: «Все понял. Уотерс».

Если проживу еще неделю, то узнаю все незаписанные секреты матери Анны и Тюльпанового Голландца. Заглянула себе за ворот блузки.

— Подведете — убью, — прошептала я своим легким.

Глава 9

За день до того, как лететь в Амстердам, я посетила группу поддержки — впервые после знакомства с Огастусом. Состав пребывающих буквально в сердце Иисуса несколько изменился. Я приехала рано, и вечно сильная Лида со своим аппендикулярным раком пересказывала мне последние новости, пока я ела магазинное печенье с шоколадной крошкой, прислонясь к десертному столу.

Двенадцатилетний Майкл с лейкемией умер — по словам Лиды, после отчаянной борьбы. Можно подумать, существует другая манера бороться. Остальные пока ходят. Кену после курса облучения ставят «отсутствие признаков рака». «У Лукаса рецидив», — сказала Лида с грустной улыбкой, дернув плечиком, как говорят об алкоголике, который снова запил.

Красивая пухленькая девочка подошла к столу поздороваться с Лидой и представилась мне как Сьюзен. Я не знала, что у нее, но заметила шрам, идущий вдоль носа до губы и дальше через щеку. Она старалась замазать его косметикой, но сделала только еще заметнее.

Я начала немного задыхаться от долгого стояния, но только я сказала: «Пойду присяду», как дверцы лифта открылись и появился Айзек с матерью. Айзек был в темных очках, одной рукой он цеплялся за мать, а другой держал трость.

— Хейзел из группы поддержки, не Моника, — предупредила я, когда он подошел достаточно близко.

Айзек улыбнулся и сказал:

— Привет, Хейзел. Как дела?

— Прекрасно. С тех пор как ты ослеп, я сказочно похорошела.

— Наверняка, — согласился он. Мать подвела его к стулу, поцеловала в макушку и побрела обратно к лифту. Он нащупал сиденье и сел. Я устроилась рядом.

— А как твои дела?

— Нормально. Отпустили домой, дома вроде лучше. Гас сказал, тебя клали в интенсивную?

— Да, — подтвердила я.

— Фигово, — подытожил он.

— Мне уже гораздо лучше, — заверила я. — Собираюсь завтра с Гасом в Амстердам.

— Знаю. Я в курсе всех твоих новостей, потому что Гас. Не. Способен. Говорить. Ни. О. Чем. Другом.

Я улыбнулась. Патрик откашлялся и сказал:

— Давайте присядем. — Тут он заметил меня: — Хейзел! Как я рад тебя видеть!

Все сели, Патрик принялся рассказывать историю потери своей мошонки, а я, как обычно, обменивалась вздохами с Айзеком, жалея всех в этом подвале, а заодно и за его пределами, перестав слушать разговор и сосредоточившись на своей боли и удушье. Мир продолжает существовать, даже если я участвую в этом вполсилы. Из задумчивости меня вывело произнесенное кем-то мое имя.

Говорила Лида Сильная, Лида в ремиссии, светловолосая, налитая, крепкая Лида, которая выступает за свою школу в соревнованиях по плаванию. Лида, потерявшая только аппендикс, произнесла мое имя, сказав:

— Хейзел меня ну так вдохновляет! Она не сдается, она продолжает бороться. Просыпается каждое утро и начинает борьбу не жалуясь. Она такая сильная, намного сильнее меня. Хотела бы я иметь такую силу!

— Хейзел! — сказал Патрик. — Что ты чувствуешь при этих словах?

Я пожала плечами и посмотрела на Лиду:

— Хоть сейчас отдам тебе свою силу в обмен на твою ремиссию.

Едва я договорила, мне сразу стало стыдно.

— По-моему, Лида имела в виду другое, — сказал Патрик. — Думаю, она...

Но я уже перестала слушать.

Помолившись за живых и выслушав бесконечный перечень умерших (с Майклом в самом конце), мы взялись за руки и сказали:

— Проживем сегодня как лучший день в жизни!

Лида тут же подбежала ко мне, переполняемая извинениями и объяснениями, но я отмахнулась:

— Все в порядке. — И добавила, обращаясь к Айзеку: — Хочешь проводить меня наверх?

Он взял меня под руку, и я пошла с ним к лифту, радуясь, что нашла предлог не подниматься по лестнице. Я почти дошла до лифта, когда увидела его мать, стоявшую в уголке Буквального Сердца.

— Я тут, — сказала она Айзеку.

Он переключился с моей руки на мамину и спросил:

— Хочешь к нам в гости?

— С удовольствием, — согласилась я. Мне было очень его жаль. Терпеть не могу, когда люди относятся ко мне сочувственно, но ничего не могла с собой поделать: я очень сочувствовала Айзеку.

Айзек жил в маленьком частном доме в Меридиан-Хиллз рядом со своей дорогой частной школой. Мы сели в гостиной, его мать ушла на кухню готовить ужин, и Айзек спросил, не хочу ли я сыграть.

— Давай, — сказала я. Он попросил пульт, я подала, и он включил телевизор и подключенный к нему компьютер. Телеэкран остался черным, но через несколько секунд оттуда раздался низкий голос.

— *«Дезинформация»*, — послышался голос. — Один игрок или два?

— Два, — ответил Айзек. — Пауза. — Он повернулся ко мне: — Я часто играю с Гасом, но меня бесит, что в видеоиграх он законченный самоубийца. Слишком агрессивно бросается спасать мирных жителей и вообще.

— Да уж. — Я вспомнила Ночь разбитых трофеев.

— Снять паузу, — скомандовал Айзек.

— Первый игрок, идентифицируйте себя.

— Сейчас звучит сексуальный голос первого игрока.

— Второй игрок, идентифицируйте себя.

— Я буду вторым игроком, наверное, — отозвалась я.

— *Старший сержант Макс Мейхем и рядовой Джаспер Джекс проснулись в темной пустой комнате площадью примерно двенадцать квадратных футов.*

Айзек показал на экран, будто я должна говорить с ним или еще что.

— Хм, — сказала я. — Выключатель есть?

— *Нет.*

— А дверь есть?

— *Рядовой Джекс нащупал дверь. Она заперта.*

— Над притолокой есть ключ, — вмешался в разговор Айзек.

— *Да.*

— Мейхем открывает дверь.

— *В комнате по-прежнему абсолютно темно.*

— Достаю нож, — сказал Айзек.

— Достаю нож, — прибавила я.

Из кухни выскочил мальчишка — брат Айзека, решила я, — лет десяти, тощий жилистый непоседа, вприпрыжку пробежал через гостиную и крикнул, очень хорошо подражая голосу Айзека:

— И закалываюсь.

— *Сержант Мейхем приставляет нож к своей шее. Вы уверены, что...*

— Нет, — сказал Айзек. — Пауза. Грэм, не заставляй меня подниматься и отвешивать тебе пинков.

Грэм рассмеялся и убежал в коридор.

Мейхем с Джексом, то есть Айзек и я, пробирались по пещере, пока не наткнулись на какого-то типа. Когда он признался, что мы в украинской подземной тюрьме на глубине мили, мы прирезали его. Звуковые эффекты — шум бурной подземной реки, голоса, говорившие по-украински и на ломаном английском, — вели нас по пещере, но на экране царила сплошная чернота. Через час игры мы услышали отчаянные крики заключенного, умолявшего:

— Боже, помоги мне! Боже, помоги мне!

— Пауза, — произнес Айзек. — Вот тут Гас всегда настаивает, чтобы найти заключенного, хотя так нельзя выиграть, а единственный способ действительно спасти его — это выиграть игру.

— Да, Гас воспринимает видеоигры чересчур серьезно, — сказала я. — Он по уши влюблен в метафоры.

— Тебе он нравится? — спросил Айзек.

— Конечно, нравится. Он классный.

— Но спать с ним ты не хочешь?

Я пожала плечами:

— Все не так просто.

— Я знаю, о чем ты думаешь. Ты не хочешь давать ему то, с чем он не сможет справиться. Не хочешь, чтобы он поступил с тобой, как Моника со мной.

— Ну, вроде того, — согласилась я, хотя на самом деле все обстояло не так. Я боялась стать для него таким вот Айзеком. — Если честно, — сказала я, — ты тоже поступил с Моникой не совсем красиво.

— В чем это я с ней не так поступил? — ощетинился он.

— Ну как же? Взял и ослеп!

— Это не моя вина, — отрезал Айзек.

— Я не говорю, что это твоя *вина*. Я говорю, что это не совсем *красиво*.

Глава 10

В Амстердам нам предстояло отправиться с одним чемоданом. Я нести тяжелое не могла, а мама настаивала, что тащить двойной багаж ей не под силу. Пришлось бороться с ней за внутреннее пространство черного чемодана, который родителям подарили на свадьбу миллион лет назад. Такому чемодану проводить бы жизнь в экзотических странах, но он в основном катался до Дейтона и обратно: у фирмы «Недвижимость Морриса, инк.» там находился дополнительный офис, куда папа частенько мотался по делам.

Я уверяла, что мне полагается большая часть чемодана, потому что без меня и моего рака мы вообще никогда не попали бы в Амстердам. Мама возражала, что она вдвое крупнее меня и ей требуется физически больше ткани, чтобы прикрыть наготу, и претендовала минимум на две трети чемоданной площади.

В конце концов получилось ни нашим, ни вашим, и все остались довольны.

Самолет вылетал около полудня, но мама разбудила меня в полшестого — включила свет и закричала: «Амстердам!» Она бегала все утро, проверяла, взяли ли мы переходники для европейских розеток, и четыре раза смотрела, достаточно ли баллонов с кислородом и все ли полные. Я вылезла из постели и натянула свой дорожный костюм для Амстердама (джинсы, розовую майку и черный кардиган на случай, если в самолете будет холодно).

В пятнадцать минут седьмого мы погрузили вещи в машину, после чего мама настояла, чтобы мы позавтракали всей семьей, хотя я про себя очень возражала есть до рассвета: я ведь не русская крестьянка девятнадцатого века, которой предстоит весь день работать в поле. Я вяло жевала яичницу, а мама с папой уплетали домашнюю версию своего любимого сандвича «Эгг Макмаффинс».

— Почему некоторым блюдам навсегда отведена участь завтрака? — спросила я. — Почему мы не едим на завтрак карри?

— Ешь, Хейзел.

— Но почему? — настаивала я. — Кроме шуток, как яичница заняла эксклюзивное положение среди завтраков? Можно положить на хлеб бекон, и никто на это не обратит внимания, но стоит положить на хлеб яичницу — бац, и это завтрак.

Папа ответил с полным ртом:

— Когда вернешься, будем есть завтрак на ужин. Договорились?

— Не хочу завтрак на ужин, — отрезала я, перекрещивая нож и вилку над почти полной тарелкой. — Я хочу на ужин яичницу без нелепого утверждения, что яичница — это завтрак, даже если ее едят на ужин.

— Конечно, ты сама расставляешь приоритеты в своей жизни, Хейзел, — сказала мама, — но если именно в этом вопросе ты хочешь стать победителем, мы охотно уступим тебе первое место.

— Даже целый пьедестал почета, — подтвердил папа, и мама засмеялась.

Это, конечно, глупо, но мне стало обидно за яичницу.

Когда они поели, папа вымыл посуду и повел нас к машине. Он, разумеется, расплакался и поцеловал меня, коснувшись мокрой колючей щекой. Прижавшись носом к моей скуле, он прошептал:

— Я тебя люблю и очень тобой горжусь.

Не представляю *за что*.

— Спасибо, пап.

— Скоро увидимся, да, деточка? Я тебя очень люблю.

— Я тоже тебя люблю, пап, — улыбнулась я. — Нас не будет всего три дня.

Пока мы задним ходом выезжали на улицу, я махала папе, а он махал в ответ и плакал. Мне пришло в голову, что он, наверное, думает, будто может больше меня не увидеть, как думает об этом каждое утро, уходя на работу, которую, наверное, с радостью бы бросил.

Мы с мамой подъехали к дому Огастуса. Мама хотела, чтобы я осталась в машине и отдохнула, но я все-таки пошла с ней к дверям. С крыльца было слышно, что в доме кто-то плачет. Я сперва не думала, что это Гас — доносившиеся звуки ничем не напоминали его низкий сексуальный голос, но через секунду разобрала, как он выкрикивает сдавленным голосом: «ПОТОМУ ЧТО ЭТО МОЯ ЖИЗНЬ, МАМ, МОЯ!» Мать тут же обняла меня за плечи и быстро повела к машине.

— Мам, что случилось? — спросила я.

А она сказала:

— Подслушивать нехорошо, Хейзел.

Из машины я отправила Огастусу сообщение, что мы подъехали и ждем, пусть выходит, как будет готов.

Некоторое время мы смотрели на дом. Странная штука, но снаружи дома за редким исключением ничем не выдают, что делается в их стенах, хотя там проходит большая часть нашей жизни. Может, в этом и состоит глобальная цель архитектуры?

— М-да, — протянула мама некоторое время спустя. — Рановато мы приехали, пожалуй.

— Похоже, мне не было смысла вскакивать в пол-шестого, — кивнула я. Из консоли между нами мама достала чашку с кофе, и я сделала глоток. Мой телефон зажужжал. Огастус писал: «НИКАК не могу решить, что надеть. Я тебе больше нравлюсь в рубашке поло или с пуговицами?»

Я ответила: «С пуговицами».

Через тридцать секунд входная дверь открылась, и на пороге появился улыбающийся Огастус с чемоданом на колесиках. Он был в отглаженной небесно-голубой рубашке, заправленной в джинсы и застегнутой до горла. С губы свисала «Кэмел лайт». Мама вышла поздороваться. Он моментально вынул сигарету и заговорил уверенно:

— Всегда рад вас видеть, мэм.

Я смотрела в зеркало, как мама открывает багажник. Через несколько секунд Огастус распахнул дверцу машины и занялся нелегким делом усаживания на заднее сиденье с одной ногой.

— Хочешь на переднее? — спросила я.

— Ни за что, — заявил он. — Привет, Хейзел Грейс.

— Привет, — отозвалась я. — О'кей?

— О'кей, — сказал он.

— О'кей, — сказала я.

Мама села за руль и захлопнула дверцу.

— Следующая остановка — Амстердам, — объявила она.

Это было не совсем правдой. Следующей остановкой стала парковка аэропорта, затем на автобусе мы поехали в терминал, и открытый электромобиль доставил нас к очереди на досмотр. Парень в форме службы транспортной безопасности у самой рамки кричал, что лучше бы никто не пытался провозить взрывчатые вещества, оружие и любые жидкости объемом свыше трех унций. Я сказала Огастусу:

— Путевые заметки: стояние в очереди — одна из форм угнетения.

Он согласился.

Не желая подвергаться личному досмотру, я прошла через металлодетектор без тележки, баллона и даже пластиковых трубок в носу. Проход через рентген стал первым за несколько месяцев моментом, когда я оказалась без кислорода. Было просто потрясающе шагать вот так, без всего, пересечь Рубикон под молчание рамки, признавшей меня, пусть и ненадолго, не содержащим металла существом.

Я чувствовала свободу своего тела, которую даже затрудняюсь описать. Разве что ее можно сравнить с тем, как в детстве я таскала весьма тяжелый рюкзак с учебниками и когда его снимала, то казалось, что я готова взлететь.

Через десять секунд мои легкие начали складываться, как цветы на закате. Я присела на серую скамейку сразу за рентгеном, пытаясь отдышаться, но только хрипло, с каким-то дребезжанием кашляла и чувствовала себя из рук вон плохо до тех пор, пока канюля не заняла свое место.

Но даже теперь все болело. Боль всегда была рядом, она замыкала меня внутри себя, ей необходимо, чтобы я ее чувствовала. И только когда что-либо вовне требовало моего внимания, я пробуждалась от боли. Мама со встревоженным видом произнесла несколько слов. Что она сказала? Затем я вспомнила. Она спросила, что случилось.

— Ничего, — ответила я.

— Амстердам! — громким шепотом воскликнула она.

Я улыбнулась:

— Амстердам.

Мама взяла меня за руку и потянула вверх, помогая встать.

Мы подошли к выходу на посадку за час до назначенного времени.

— Миссис Ланкастер, вы впечатляюще пунктуальный человек, — заметил Огастус, усаживаясь рядом со мной в практически пустом зале ожидания.

— Этому способствует то, что я, строго говоря, ничем не занимаюсь, — ответила мама.

— У тебя дел по горло, — возразила я, хотя мне сразу пришло в голову, что мама занимается в основном мной. Еще ее работой можно назвать семейную жизнь с папой — он до сих пор как ребенок в общении с банком, вызове сантехников, готовке и вообще во всем, кроме своей работы в фирме «Недвижимость Морриса, инк.», — но в основном мамина забота, конечно, я. Ее основная причина жить и моя основная причина жить тесно переплетаются между собой.

Когда места у входа начали заполняться, Огастус произнес:

— Схожу куплю гамбургер. Принести тебе что-нибудь?

— Нет, — ответила я. — Но я высоко ценю твой отказ подчиняться социальным конвенциям в отношении завтраков.

Он озадаченно наклонил голову, вопросительно глядя на меня.

— Хейзел возмущает геттоизация яичницы, — пояснила мама.

— Форменное безобразие, что мы идем по жизни, слепо принимая тот факт, что яичница прочно ассоциируется с утренним приемом пищи.

— Я хочу поговорить об этом подробнее, — сказал Огастус. — Но я умираю с голоду. Сейчас вернусь.

Когда спустя двадцать минут Огастуса все еще не было, я поделилась с мамой опасениями, не случилось ли с ним что-нибудь, но она оторвалась от своего ужасного журнала лишь на секунду, утешив:

— Наверное, пошел в туалет.

Подошла служащая аэропорта и сменила мой кислородный баллон на тот, который предоставила авиалиния. Мне стало неловко от того, что на глазах у всех передо мной на коленях стоит женщина, поэтому, пока меняли баллон, я набрала Огастусу сообщение.

Он не ответил. Мама этим ничуть не озаботилась, зато я уже вообразила себе все несчастья, способные сорвать поездку в Амстердам (арест, травму, нервный срыв). В груди у меня творилось что-то неладное — только на этот раз рак был ни при чем, — а минуты все шли.

Только когда служащая за билетной стойкой объявила, что они начинают предварительную посадку людей, которым может понадобиться чуть больше времени, — при этом все до единого ожидающие откровенно обернулись ко мне, — я увидела, как Огастус быстро хромает к нам с пакетом «Макдоналдс» в руке и рюкзаком на плече.

— Где ты был? — спросила я.

— Прости, очередь была длинная, — ответил он, протягивая руку. Держась за руки, мы пошли к выходу на предварительную посадку.

Я чувствовала на себе любопытные взгляды: все гадали, чем мы больны, и смертельно ли, и думали, какая же героическая женщина моя мать. Иногда это худшее в участи больного раком — физические признаки болезни отделяют тебя от других. Мы были однозначно и окончательно другими, и это проявилось с особенной очевидностью, когда мы втроем шли по пустому салону самолета, а стюардесса сочувственно кивала и жестами приглашала к нашим местам ближе к хвосту. Я села на среднее из трех кресел, Огастус у окошка, а мама — у прохода. Мама меня немного потеснила, поэтому я подвинулась к Огастусу. Наши места оказались сразу за крылом самолета. Гас открыл пакет и развернул бургер.

— Насчет яичницы, — начал он. — Я считаю, что насильственное зачисление в разряд завтраков придает ей некоторую сакральность. Бекон и чеддер можно найти когда и где угодно — в тако, в сандвичах для завтрака, в виде сыра на гриле, но яичница — это святое.

— Абсурд, — сказала я. Салон начал заполняться. Я не хотела ни на кого смотреть, поэтому отвернулась, а отвернуться означало уставиться на Огастуса.

— Я лишь хочу сказать, яичница действительно до некоторой степени геттоизирована, но вместе с тем ее выделяют особо. Для нее есть место и время, как для походов в церковь.

— Трудно ошибаться сильнее, — заявила я. — Тебя обманывают сентиментальные изречения, которые твои родители вышивают крестиком на подушках. Ты пытаешься доказать, что хрупкая и редкая вещь красива только потому, что она хрупкая и редкая. Но это же ложь, и ты это знаешь.

— Трудно тебе угодить, — сделал вывод Огастус.

— Поверхностные аргументы не дают душевного успокоения, — парировала я. — Когда-то и ты был редким и хрупким цветком, ты же это помнишь.

Секунду он молчал.

— Ты знаешь, как заставить меня замолчать, Хейзел Грейс.

— Это моя привилегия и моя обязанность, — ответила я.

Прежде чем я отвела глаза, он сказал:

— Слушай, прости, что не остался в зале ожидания. Очередь в «Макдоналдсе» была не особо длинной, просто я... не хотел, чтобы все на нас пялились.

— В основном на меня, — заметила я. При взгляде на Гаса невозможно понять, чем он болел, но я ношу свою болезнь с собой снаружи, и отчасти по этой причине я стала домоседкой. — Огастус Уотерс, юноша редкой харизмы, стесняется сидеть рядом с девушкой с кислородным баллоном.

— Не стесняюсь я, — возразил он. — Просто эти люди выводят меня из себя. А сегодня я не хочу злиться! — Он извлек из кармана и открыл свою пачку сигарет.

Через девять секунд стюардесса-блондинка подбежала к нашим креслам и сказала:

— Сэр, на борту курить нельзя. Это общее правило для всех самолетов.

— Я не курю, — ответил Огастус. Сигарета дергалась у него во рту, когда он говорил.

— Но...

— Это метафора, — объяснила я. — Он кладет опасный для жизни предмет себе в рот, но не дает ему возможности убивать себя.

Стюардесса растерялась всего на секунду.

— На время сегодняшнего полета такая метафора запрещена, — сказала она. Гас кивнул и убрал сигарету в пачку.

Наконец мы выехали на взлетную полосу, и пилот объявил: «Просьба пассажирам приготовиться к взлету», после чего два огромных реактивных двигателя взревели и самолет начал ускоряться.

— Вот так с тобой в машине ездить, — сказала я. Гас улыбнулся, но челюсти у него были сжаты. Я спросила: — Все о'кей? — Мы набирали скорость. Гас вдруг вцепился в подлокотники, его глаза расширились. Я накрыла его руку своей и спросила еще раз: — Все о'кей? — Он ничего не ответил, глядя на меня вытаращенными глазами. — Ты что, боишься летать? — не выдержала я.

— Я тебе отвечу через минуту, — пробормотал он.

Нос самолета поднялся, и мы оказались в воздухе. Гас смотрел в окно, как планета под нами стремительно уменьшается, и его рука под моей расслабилась. Он взглянул на меня и снова в окно.

— Мы *летим*, — объявил он.

— Ты никогда раньше не летал?

Он покачал головой.

— СМОТРИ! — чуть не закричал он, указывая в окно.

— Да, — сказала я. — Да, я вижу. Похоже, мы в самолете.

— ЗА ВСЮ ИСТОРИЮ ЧЕЛОВЕЧЕСТВА НИЧТО НИКОГДА ВОТ ТАК НЕ ВЫГЛЯДЕЛО! — объявил он. Его энтузиазм был восхитителен. Я не удержалась и поцеловала его в щеку.

— Не забывай о моем присутствии, — предупредила мама. — Я сижу рядом, твоя мама, которая держала тебя за ручку, когда ты училась ходить.

— Всего лишь дружеский поцелуй, — объяснила я, поворачиваясь и целуя и ее заодно.

— А показался больше чем дружеским, — пробубнил Гас достаточно громко, чтобы я слышала. Когда из питающего слабость к метафорам и широким жестам Огастуса выглянул удивленный, ликующий и неискушенный Гас, я буквально не смогла устоять.

Мы быстро долетели до Детройта, нас встретил маленький электромобиль и отвез к выходу, где шла посадка на рейс до Амстердама. В этом самолете на спинках кресел были телевизоры, и, поднявшись выше облаков, мы с Огастусом настроили наши телики так, чтобы одновременно смотреть одну и ту же романтическую комедию. Но хотя кнопки мы нажали абсолютно синхронно, его фильм начался на пару секунд раньше моего, и всю комедию он уже хохотал, а я еще слушала шутку.

Согласно маминому плану, последние несколько часов полета мы должны были проспать, чтобы, приземлившись в восемь утра, выйти в город готовыми высо-

сать из жизни костный мозг — в смысле взять от нее
все. Поэтому после окончания фильма мама, Огастус и
я приняли снотворное. Мама отрубилась через несколько секунд, а мы с Огастусом молча смотрели в окно. Там
было ясно, и хотя нам не было видно заходящего солнца, мы могли наблюдать все краски закатного неба.

— Боже, как красиво, — сказала я в основном
себе.

— Восходящее солнце слишком ярко для ее угасающих глаз, — процитировал он строчку из «Царского
недуга».

— Оно заходящее, — поправила я.

— А где-то восходящее, — ответил он и через секунду добавил: — Путевые заметки: было бы здорово обле-
теть земной шар на супербыстром самолете, который
успевал бы за восходящим солнцем.

— И я бы дольше прожила. — Гас взглянул на меня
сбоку. — Ну как же, теория относительности и все такое. — Он все еще пребывал в замешательстве. — Мы
стареем медленнее, когда движемся, чем когда стоим.
Сейчас, например, время течет для нас медленнее, чем
для тех, кто на земле.

— Умные какие эти студентки, — сказал Огастус.

Я округлила глаза. Он толкнул мою ногу коленом
(настоящим), и я пихнула его коленкой в ответ.

— Спать хочешь? — спросила я.

— Ни в одном глазу, — ответил он.

— Я тоже, — согласилась я. Снотворные и наркоти-
ческие средства действуют на меня иначе, чем на здоровых.

— Хочешь еще кино посмотреть? — спросил он. —
У них есть фильм с Портман эры Хейзел.

— Я хочу посмотреть то, чего ты еще не видел.

В конце концов мы выбрали «Триста спартанцев», где горстка воинов защищала Спарту от персидской армии численностью, судя по всему, не меньше миллиарда. Фильм у Огастуса опять начался раньше моего, и спустя несколько минут, в течение которых я слышала «Оп-па!» и «Готов!» всякий раз, как кого-то убивали особенно изощренным способом, я перегнулась через подлокотник и положила голову Гасу на плечо, чтобы видеть его экран и смотреть кино вместе.

«Триста спартанцев» отличались обилием крепких, полуголых, натертых маслом молодых парней в кожаных ремнях, поэтому смотрелся фильм легко, утомляло лишь бессмысленное размахивание мечами. На экране громоздились горы тел персов и спартанцев, и было непонятно, отчего персы такие жестокие, а спартанцы такие красивые. «Современность, — если цитировать «Царский недуг», — специализируется на таких боях, в которых никто ничего не теряет, кроме, возможно, своей жизни, и то не обязательно». Эта битва титанов оказалась тем самым случаем.

Ближе к концу фильма почти все умерли, и наступил безумный момент, когда спартанцы стали укладывать тела своих покойников одно на другое, чтобы сложить стену из трупов. Мертвые стали массивной преградой между персами и дорогой на Спарту. Я нашла чернуху слегка неоправданной, поэтому отвела глаза от экрана и спросила Огастуса:

— Как думаешь, сколько там трупов?

Он отмахнулся:

— Ш-ш-ш! Сейчас самое интересное!

Когда персы пошли в атаку, им пришлось перелезать через стену из мертвых, а спартанцы заняли господствующую высоту на этой горе трупов, и, когда падали новые убитые, стена из тел мучеников становилась выше и сложнее для преодоления, и все размахивали мечами, слали стрелы, и реки крови лились по Горе Мертвецов и так далее.

Я подняла голову с плеча Гаса — надоели трупы! — и поглядела, как он смотрит кино. Он не мог сдержать своей дурацкой улыбки. Скосив глаза, я видела на своем телевизоре, как на экране продолжает расти гора убитых персов и спартанцев. Когда персы наконец одолели спартанцев, я снова посмотрела на Огастуса. Даже при том, что хорошие парни проиграли, он выглядел откровенно довольным. Я снова положила голову к нему на плечо, но не открывала глаз, пока бой не закончился.

Когда пошли титры, он стащил наушники и сказал:

— Извини, меня захватило благородство их жертвы. Что ты говорила?

— Как думаешь, сколько всего людей умерло?

— Сколько вымышленных персонажей умерло в придуманном кино? Недостаточно, — пошутил он.

— Нет, я имею в виду, сколько вообще людей умерло за всю историю?

— Я случайно знаю точный ответ, — отозвался Гас. — Сейчас на Земле семь миллиардов, а умереть успело около девяноста восьми миллиардов человек.

— О-у-у-у, — протянула я. Мне казалось, что за счет быстрого роста населения в мире сейчас окажется больше живых, чем умерших за все времена.

— На каждого живого приходится по четырнадцать мертвых, — сказал он. Титры все шли. Много времени нужно, чтобы идентифицировать все киношные трупы, подумала я, не убирая голову с плеча Огастуса. — Пару лет назад я провел небольшое исследование, — продолжал он. — Мне было интересно, можно ли помнить всех, кто когда-либо жил. Ну если организоваться и закрепить за каждым живущим определенное количество умерших, хватит ли живых, чтобы помнить всех мертвых?

— И как, хватит?

— Конечно, любой в состоянии запомнить четырнадцать фамилий. Но мы скорбим неорганизованно, поэтому многие наизусть помнят Шекспира и никто не помнит человека, которому он посвятил свой пятьдесят пятый сонет.

Я согласилась.

Минуту мы молчали, потом он спросил:

— Хочешь почитать?

Я сказала: конечно! Я читала длинную поэму «Вой» Аллена Гинзберга, заданную нам по поэзии, а Гас перечитывал «Царский недуг».

Через некоторое время он спросил:

— Ну что, читать можно?

— Стихи? — переспросила я.

— Да.

— Можно, хорошая вещь. Герои этой поэмы принимают больше лекарств, чем я. А как «Царский недуг»?

— По-прежнему идеален, — ответил он. — Почитай мне.

— Эти стихи не годятся для чтения вслух, когда сидишь рядом со спящей матерью. В них содомия и «ангельская пыль»*.

— Это же почти все, что я люблю! — обрадовался Гас. — Ладно, тогда почитай мне что-нибудь еще.

— Хм, — сказала я. — У меня больше ничего нет.

— Жалко, такое поэтическое настроение пропадает. А на память ничего не знаешь?

---

* Наркотик фенциклидин.

— «Давай с тобой пойдем, — начала я, волнуясь. — Вот вечер распростерся, / как больной с эфирной маской на столе хирурга...»

— Помедленнее, — попросил он.

Меня охватило смущение, как в тот раз, когда я впервые сказала ему о «Царском недуге».

— Ладно, сейчас. «Пойдем по улицам полупустым / мимо бормочущих притонов, где номера сдаются на ночь / бессонную, и мимо кабаков, где пол усеян / опилками и раковинами устриц. / Томительным спором тянутся улицы, / ведя тебя с тайным намереньем / к вопросу последнему, главному, вечному... / Не спрашивай какому, лишь иди».

— Я влюблен в тебя, — тихо произнес он.

— Огастус, — сказала я.

— Влюблен, — повторил он, глядя на меня, и я заметила морщинки в уголках его глаз. — Я влюблен в тебя, а у меня не в обычае лишать себя простой радости говорить правду. Я влюблен в тебя, я знаю, что любовь — всего лишь крик в пустоту, забвение неизбежно, все мы обречены, и придет день, когда всё обратится в прах. Я знаю, что Солнце поглотит единственную Землю, которую нам суждено иметь, и я влюблен в тебя.

— Огастус, — снова произнесла я, не зная, что еще добавить. Во мне все поднялось, затопив странной болезненной радостью, но я физически не могла ему ответить. Я смотрела на него и позволяла смотреть на меня, пока он не кивнул, сжав губы, и отвернулся, упершись лбом в стекло.

Глава 11

Огастус вроде бы уснул. Я в конце концов тоже отключилась и очнулась, только когда самолет зашел на посадку и выпустил шасси. Во рту стоял мерзкий вкус, и я старалась не открывать рот, чтобы не отравлять воздух в салоне.

Я взглянула на Огастуса — он смотрел в окно. Мы нырнули под низко висевшие тучи, и я вытянулась, чтобы увидеть Нидерланды. Казалось, земля затонула в океане — маленькие прямоугольники зелени, со всех сторон обведенные каналами. Мы и приземлились параллельно каналу, будто было две посадочные полосы: одна для нас и одна — для водоплавающих птиц.

Забрав чемоданы и пройдя таможню, мы погрузились в такси. За рулем сидел лысый толстяк, говоривший на прекрасном английском, — лучше, чем мой.

— Отель «Философ»... — начала я.

А он мне:

— Вы американцы?

— Да, — обрадовалась мама. — Мы из Индианы.

— Индиана, — протянул таксист. — Украли землю у индейцев, а название оставили?

— Что-то вроде, — ответила мама. Такси влилось в поток машин, направлявшийся к большому шоссе, раз-

меченному множеством синих знаков с обилием двой-
ных гласных: Oosthuizen, Haarlem. По обеим сторонам
шоссе милями тянулась пустая плоская земля; моно-
тонность пейзажа лишь изредка нарушалась огромными корпоративными зданиями. Словом, Нидерланды
ничем не отличались от Индианаполиса, только машины здесь были помельче.

— Это и есть Амстердам? — спросила я водителя.

— И да и нет, — ответил он. — Амстердам как годо-
вые кольца у дерева: чем ближе к центру, тем он старше.

Все случилось неожиданно: мы съехали с шоссе, и,
словно из моего воображения, появились ряды домов,
опасно накренившихся над каналами, вездесущие ве-
лосипеды и кофе-шопы с объявлениями «Большой зал
для курящих». Мы проехали через канал, и с верхней
точки моста я увидела десятки плавучих домов, при-
швартованных вдоль берегов. В этом не было ничего
американского. Это походило на ожившую старинную
картину, пронзительно идиллическую в утреннем свете, и я подумала: как чудесно и странно было бы жить
там, где практически все построено уже умершими!

— А что, эти дома очень старые? — спросила мама.

— Многие из домов над каналами построены в зо-
лотом — семнадцатом — веке, — ответил таксист. —
У нашего города богатая история, хотя многих туристов интересует только квартал красных фонарей. — Он
помолчал. — Некоторые приезжие считают Амстердам
городом грехов, но на самом деле это город свободы.
А в свободе большинство видит грех.

Все номера в гостинице «Философ» были названы
в честь философов. Нас с мамой поселили на первом
этаже, в «Кьеркегоре», а Огастуса на втором, в «Хайдег-

гере». Наш номер был маленький: двойная кровать, придвинутая к стене, с моим аппаратом ИВЛ, концентратором кислорода и десятком многоразовых кислородных баллонов у изножья. Помимо моего оборудования, там стояли продавленное пыльное кресло с обивкой пейсли и стол, а над кроватью висела книжная полка с собранием сочинений Сёрена Кьеркегора. На столе мы нашли плетеную корзину с подарками от «Джини»: деревянные башмаки, оранжевую футболку с Нидерландами, шоколадки и тому подобное.

«Философ» находился рядом с парком Вондела, самым знаменитым парком Амстердама. Мама хотела тут же пойти погулять, но я порядком вымоталась, поэтому она включила ИВЛ и надела мне маску. Я ненавидела говорить в ней, но все же сказала:

— Иди в парк, а я тебе позвоню, когда проснусь.

— Хорошо, — согласилась мама. — Отсыпайся, детка.

Когда я проснулась через несколько часов, она сидела в дряхлом кресле в углу и читала путеводитель.

— Доброе утро, — сказала я.

— Вообще-то уже конец дня, — ответила мама, со вздохом вставая с кресла. Она подошла к кровати, положила баллон на тележку и подсоединила к трубке, пока я снимала маску ИВЛ и вставляла в нос канюлю. Мама установила расход на 2,5 литра в минуту — шесть часов до замены, и я встала.

— Как самочувствие? — спросила она.

— Хорошо, — ответила я. — Отлично. А как парк Вондела?

— Я не пошла, — призналась мама. — Я все о нем прочитала в путеводителе.

— Мам, — сказала я, — тебе не обязательно было со мной сидеть!

Она пожала плечами:

— Мне так захотелось. Я люблю смотреть, как ты спишь.

— Ну прямо Эдвард Каллен, — сказала я. Мама засмеялась, но мне все равно было неловко. — Я хочу, чтобы ты развлекалась, веселилась, понимаешь?

— Ладно. Сегодня вечером буду развлекаться. Побуду сумасшедшей мамашей, пока вы с Огастусом пойдете на ужин.

— Без тебя? — уточнила я.

— Да, без меня. Для вас заказан столик в каком-то «Оранжи», — объяснила она. — Этим занималась помощница мистера ван Хаутена. Ресторан в районе Джордан — очень интересном, как пишут в путеводителе. Там, за углом, остановка трамваев. Огастус знает, как добраться. Вы сможете поесть за уличным столиком, глядя на проплывающие лодки. Это будет чудесно. Очень романтично.

— Мама!

— Теоретически, — спохватилась она и добавила: — Тебе надо одеться получше. Может, сарафан?

Кого-то позабавит ненормальность ситуации — мать отправляет собственную шестнадцатилетнюю дочь одну с семнадцатилетним парнем погулять по незнакомому городу, известному свободой нравов, но это тоже побочный эффект умирания. Я не могу бегать, танцевать, есть пищу, богатую азотом, но в городе свободы я была одной из самых раскрепощенных.

Я действительно надела сарафан — с голубым рисунком, легкий струящийся шедевр из «Форевер 21» длиной до колен, — а к нему колготки и балетки «Мэри

Джейнс», потому что мне нравилось быть намного ниже Гаса. Я вошла в уморительно тесную ванную и воевала со свалявшимися после сна волосами, пока вид у меня не стал, как у Натали Портман образца 2000 года. Ровно в шесть вечера (дома был полдень) в наш номер постучали.

— Да? — спросила я, не открывая. В гостинице «Философ» в дверях глазков не было.

— О'кей, — отозвался Огастус. Я поняла, что во рту у него сигарета. Я оглядела себя. Сарафан как мог льстил моей грудной клетке и ключицам. Наряд не был неприличным, но честнее всех моих вещей сигнализировал о том, что я решилась показать немного кожи (на этот счет у мамы есть девиз, с которым я согласна: «Ланкастеры пупки не выставляют»).

Я открыла дверь. Перед моим взором предстал Огастус в идеально сидящем костюме с узкими лацканами, в голубой рубашке и узком черном галстуке. Из неулыбающегося угла рта свисала сигарета.

— Хейзел Грейс, — сказал он, — роскошно выглядишь!

— Я... — начала я в надежде, что остальное предложение родится, пока воздух будет проходить через голосовые связки, но ничего не пришло в голову. Наконец я заметила: — По-моему, я одета слишком скромно.

— Ох уж эти старые женские уловки, — улыбнулся он мне сверху вниз.

— Огастус, — сказала мама из-за моей спины, — ты выглядишь божественно красиво!

— Благодарю вас, мэм, — поблагодарил Гас и галантно предложил мне руку. Я оперлась о нее и оглянулась на маму.

— Жду к одиннадцати, — напомнила она.

* * *

В ожидании трамвая номер один на оживленной улице, полной машин, я спросила:

— В костюмчике, наверное, на похороны ходишь?

— Ну что ты, — ответил он. — Мой костюм для чужих похорон с этим и рядом не висел.

Подъехал бело-синий трамвай. Огастус протянул наши карточки водителю, который объяснил, что ими нужно помахать перед круглым сенсором. Когда мы прошли в заполненный вагон, пожилой мужчина встал, уступая нам двойное место. Я попыталась отказаться, но он настойчиво показывал на сиденье. Мы ехали три остановки. Я прильнула к Гасу, чтобы вместе смотреть в окно.

Огастус показал на деревья:

— Видишь?

Я видела. Вдоль каналов повсюду росли старые вязы, и ветер сдувал с них семена, похожие, клянусь, на розовые лепестки, лишенные красок. Бледные лепестки роз собирались на ветру в птичьи стаи — тысячи лепестков, будто летний снегопад.

Пожилой мужчина, уступивший нам место, увидел, куда мы смотрим, и сказал по-английски:

— Амстердамский весенний снег. Вяз бросает в воздух конфетти, приветствуя весну.

Вскоре мы пересели на другой трамвай и через четыре остановки оказались на улице, разделенной надвое прекрасным каналом. В воде рябило отражение старинного круглого моста и живописных разноцветных домов.

«Оранжи» оказался в нескольких шагах от остановки. Ресторан был с одной стороны дороги, уличные столики — с другой, на бетонной полоске у кромки канала. У официантки загорелись глаза, когда вошли мы с Огастусом.

— Мистер и миссис Уотерс? — спросила она.

— Вроде да, — ответила я.

— Ваш столик! — Она показала через улицу на узкий стол в нескольких дюймах от канала. — Шампанское за счет заведения.

Мы переглянулись, не сдержав улыбок. Когда мы перешли улицу, Огастус отставил для меня стул и помог пододвинуться к столу. На белой скатерти действительно стояли два узких бокала шампанского. Свежесть воздуха замечательно уравнивалась солнцем. С одной стороны от нас проезжали велосипедисты — хорошо одетые мужчины и женщины, возвращающиеся домой с работы: нереально красивые блондинки ехали, сидя на раме боком, а педали крутили их дружки; дети в крошечных шлемах подскакивали на пластиковых сиденьях позади родителей. А с другой стороны вода в канале задыхалась под мириадами семян-конфетти. Маленькие лодки, наполовину залитые дождевой водой, покачивались у выложенных камнем берегов; некоторые едва не тонули. Чуть дальше я видела плавучие дома, дрейфовавшие на понтонах, а посреди канала медленно двигалась открытая плоскодонная лодка с садовыми стульями и переносным стерео. Огастус поднял бокал шампанского. Я взяла свой, хотя в жизни не пила ничего крепче глотка пива из папиной кружки.

— О'кей, — сказал он.

— О'кей, — сказала я, и мы чокнулись бокалами. Я отпила шампанского. Крошечные пузырьки растаяли во рту и отправились на север, в мозг. Сладко. Свежо. Восхитительно. — Очень вкусно, — похвалила я. — Впервые пробую шампанское.

К нам подошел молодой гигант-официант с волнистыми светлыми волосами. Он был, пожалуй, даже повыше Огастуса.

— Знаете, — спросил он с приятным акцентом, — что сказал Дом Периньон, когда изобрел шампанское?

— Нет, а что? — заинтересовалась я.

— Он крикнул своим братьям-монахам: «Скорее идите сюда, я пробую вкус звезд!» Добро пожаловать в Амстердам. Желаете ознакомиться с меню или воспользуетесь рекомендацией шеф-повара?

Я посмотрела на Огастуса, а он на меня.

— Рекомендации шеф-повара — это замечательно, но Хейзел вегетарианка.

Я сказала Огастусу об этом один раз, в первый день нашего знакомства.

— Не проблема, — заверил официант.

— Прекрасно. Можно нам еще шампанского? — спросил Гас.

— Конечно, — ответил официант. — Сегодня вечером мы разлили по бутылкам все звезды, мои юные друзья. Хо, конфетти! — сказал он и легонько смахнул семечку вяза с моего голого плеча. — Такого много лет не было. Повсюду семена. Очень раздражает.

Официант ушел. Мы смотрели, как с неба падают конфетти, кружатся по земле с ветром и опускаются в канал.

— Трудно поверить, что это может кого-то раздражать, — заметил Огастус через минуту.

— Люди всегда привыкают к красоте.

— Я к тебе еще не привык, — ответил он, улыбнувшись. Я почувствовала, что краснею. — Спасибо, что приехала в Амстердам.

— Спасибо, что позволил украсть твое заветное Желание, — поблагодарила я.

— Спасибо, что надела это платье, которое просто вау, — откликнулся он. Я покачала головой, стараясь сдержать улыбку. Я не хотела быть живой гранатой. Но с другой стороны, он же знает, что делает, правильно? Это его выбор. — Слушай, а чем заканчивается поэма?

— А?

— Которую ты читала мне в самолете?

— А-а, Пруфрок*? Там заканчивается так: «Мы задержались в палатах моря, морские девы венки свивали / из трав коричневых и алых, / но разбудили нас голоса человечьи, / и мы утонули».

Огастус вытянул из пачки сигарету и постучал фильтром о стол.

— Дурацкие человечьи голоса вечно все портят.

Официант принес еще два бокала шампанского и то, что он назвал «бельгийской белой спаржей с вытяжкой из лаванды».

— Я тоже никогда не пил шампанского, — сказал Гас, когда официант ушел. — Если вдруг тебе интересно. И никогда не пробовал белой спаржи.

Я уже жевала первый кусок.

— Изумительно, — заверила я.

Он откусил кусочек и проглотил.

— Боже, если аспарагус такой вкусный, я тоже вегетарианец!

Внизу по каналу проплывала лакированная деревянная лодка, в которой сидело несколько человек. Одна женщина лет, наверное, тридцати, с вьющимися светлыми волосами, отпила пива, подняла свой бокал в нашу сторону и что-то крикнула.

---

* «Любовная песня Дж. Альфреда Пруфрока» Т.С. Элиота.

— Мы не говорим по-голландски, — крикнул в ответ Гас.

Кто-то из пассажиров выкрикнул перевод:

— Красивая пара — это красиво!

Еда была такой вкусной, что с каждым новым блюдом наш разговор все больше и больше превращался в отрывочные восхваления ее вкуса:

— Я хочу, чтобы это ризотто с фиолетовой морковью стало человеком: я отвез бы его в Вегас и женился!

— Шербет из душистого горошка, ты так неожиданно прекрасен...

Я искренне жалела, что быстро наедалась.

После клецок с чесноком и листьями красной горчицы официант сказал:

— Теперь десерт. Желаете перед десертом еще звезд?

Я покачала головой. Двух бокалов мне хватило. Шампанское не стало исключением в моей высокой толерантности к депрессантам и обезболивающим: я чувствовала тепло, но не опьянение. Но я и не хотела напиваться. Такие вечера, как этот, бывают редко, и я хотела его запомнить.

— М-м-м-м-м, — протянула я, когда официант ушел.

Огастус улыбнулся уголком рта, глядя вниз по течению канала, в то время как я смотрела в другую сторону. Смотреть было на что, поэтому молчание не казалось неловким, но мне хотелось, чтобы все было идеально. Все и так шло как нельзя лучше, но мне казалось, что этот Амстердам взят из моего воображения. Я не могла отделаться от мысли, что ужин, как и вся поездка, не более чем раковый бонус. Я хотела, чтобы мы сидели и болтали, непринужденно шутя, будто дома на диване, но в глубине души царило напряжение.

— Этот костюм у меня не для печальных оказий, — напомнил Огастус спустя некоторое время. — Когда я узнал, что болен, — ну, когда мне сказали, что у меня восемьдесят пять шансов из ста... Шансы, конечно, высокие, но мне все казалось, что это русская рулетка. Меня ожидали полгода или год ада, предстояло лишиться ноги, и в результате все это могло еще и не сработать.

— Понимаю, — сказала я, хотя на самом деле понимала не до конца. Я сразу попала в терминальную стадию; мое лечение заключалось в продлении жизни, а не излечении рака. Фаланксифор внес в мою историю болезни долю неоднозначности, но моя личная история отличалась от Гасовой: мой эпилог был написан одновременно с диагнозом. Огастус, как большинство перенесших рак, жил с неопределенностью.

— Да, — сказал он. — Меня обуяло острое желание подготовиться. Мы купили участок на Краун-Хилл — я целый день ходил с отцом и выбирал место. Я распланировал свои похороны до мелочей, а перед самой операцией попросил у родителей разрешения купить дорогой хороший костюм — вдруг мне все-таки кранты. Но мне так и не представилось случая его надеть... До сегодняшнего вечера.

— Стало быть, это твой смертный костюм.

— Да. У тебя разве не приготовлено платья на этот случай?

— А как же, — сказала я. — Покупала с расчетом надеть на пятнадцатилетие. Но я не хожу в нем на свидания.

У него загорелись глаза.

— Так у нас свидание?

Я опустила глаза, вдруг смутившись.

— Не торопи события.

* * *

Мы наелись до отвала, но десерт, вкуснейший густой крем, обложенный ломтиками маракуйи, был слишком хорош, чтобы его не попробовать, и мы сидели над тарелочками, стараясь снова проголодаться. Солнце напоминало шалуна, отказывающегося укладываться спать: в полдевятого было еще светло.

Огастус вдруг ни с того ни с сего спросил:

— Ты веришь в жизнь после смерти?

— Я считаю вечность некорректной концепцией, — ответила я.

— Ты сама некорректная концепция, — самодовольно заметил он.

— Знаю. Поэтому меня и изъяли из круговорота жизни.

— Не смешно, — заявил Гас, глядя на улицу. На велосипеде проехали две девушки, одна сидела боком над задним колесом.

— Да брось ты, — отмахнулась я. — Я пошутила.

— Мысль о том, что тебя изъяли из круговорота жизни, меня не веселит, — сказал он. — Вот ответь мне серьезно: жизнь после смерти?

— Не верю, — ответила я, но тут же поправилась: — Хотя решительного «нет» не скажу. А ты?

— А я верю, — сказал он твердо. — Целиком и полностью. Не в рай, где можно ездить на единорогах, играть на арфах и жить на облаке, но в Нечто с большой буквы «н». И всегда верил.

— Правда? — удивилась я. Вера в рай у меня всегда ассоциировалась с некой умственной недостаточностью, а Гас дураком не был.

— Да, — произнес он тихо. — Я верю в строку из «Царского недуга»: «Восходящее солнце слишком ярко для ее угасающих глаз». Под восходящим солнцем я ра-зумею Бога, чей свет невыносимо ярок, а глаза Анны угасают, а не мертвеют. Я не верю, что мы возвращаем-ся, чтобы преследовать или утешать живых, но думаю, что с нами обязательно что-то происходит дальше.

— Но ты боишься забвения.

— Конечно. Я боюсь земного забвения. Не подумай, что я копирую своих родителей, но я верю, что у людей есть души, и верю в сохранение душ. Страх забвения — это нечто иное, это опасение, что я не смогу дать ниче-го в обмен на свою жизнь. Если не довелось прожить в служении высшему добру, можно по крайней мере пос-лужить ему смертью, понимаешь? А я боюсь, что не смогу ни прожить, ни умереть ради чего-то важного.

Я только головой покачала.

— Что? — спросил он.

— Ты просто одержим идеей геройски за что-нибудь помереть и оставить доказательства своего героизма. Это даже как-то странно.

— Каждый хочет прожить необыкновенную жизнь!

— Не каждый, — сказала я, не в силах скрыть раз-дражение.

— Ты рассердилась?

— Просто... — начала я и не смогла договорить. — Просто... — снова сказала я. На столе мигал огонек све-чи. — С твоей стороны просто гадко говорить, что важ-ны только те жизни, которые прожиты и отданы ради какой-то цели. Низко говорить такое мне.

Чувствуя себя маленькой девочкой, я сунула в рот полную ложку крема, чтобы показать, что мне все рав-но и вообще...

— Прости, — извинился он. — Я не это имел в виду. Я говорил только о себе.

— Именно это! — Я была слишком напичкана едой и не решилась продолжить фразу. Я испугалась, что меня вырвет — меня часто рвет после еды (не булимия, всего лишь рак). Я пододвинула тарелку с десертом Гасу, но он покачал головой.

— Прости, — сказал он снова и потянулся через стол к моей руке, которой я позволила ему завладеть. — Я и хуже бываю.

— Например? — поддразнила я.

— Например, у меня над унитазом висит табличка с каллиграфической надписью: «Омывайся денно в утешении слов Господних». Я, Хейзел, могу быть куда хуже.

— Звучит негигиенично, — заметила я.

— Я бываю фруктом и похуже.

— Бываешь, — улыбнулась я. Я ему действительно нравилась. Может, я нарциссистка, но когда в тот момент в «Оранжи» я это поняла, Огастус стал мне нравиться еще больше.

Забирая тарелки с десертом, официант сказал:

— Ваш ужин оплачен господином Питером ван Хаутеном.

Огастус улыбнулся:

— А этот Питер ван Хаутен — отличный парень.

Уже стемнело, когда мы шли вдоль канала. Через квартал от «Оранжи» мы остановились у скамьи, окруженной старыми ржавыми велосипедами, прикрепленными к велосипедным стойкам и друг к другу, сели рядышком лицом к каналу, и Гас обнял меня за плечи.

Над кварталом красных фонарей мерцал световой ореол. Хотя фонарям в квартале полагалось быть красными, источаемое ими сияние было жутковато-зеленого оттенка. Я представила, как тысячи туристов там напиваются, обкуриваются и шатаются по узким улочкам.

— Поверить не могу, что завтра мы с ним встретимся, — сказала я. — Питер ван Хаутен поведает нам ненаписанный эпилог лучшей в мире книги.

— А сегодня он заплатил за наш ужин, — ввернул Огастус.

— Наверное, сперва он примется нас обыскивать на предмет подслушивающих или записывающих устройств, а потом сядет между нами на диване в гостиной и шепотом расскажет, вышла ли мама Анны замуж за Тюльпанового Голландца.

— Не забудь про хомяка Сизифа, — добавил Огастус.

— И какая судьба ожидает хомяка, — согласилась я, подавшись вперед и заглянув в канал. Поверхность воды почти целиком покрывали бесчисленные бледные лепестки вязов. — Сиквел, который будет существовать только для нас, — сказала я.

— А как у них сложится, что ты думаешь? — спросил Огастус.

— Не знаю, ей-богу. Тысячу раз об этом думала. Всякий раз, перечитывая, представляю что-то другое, понимаешь? — Он кивнул. — А у тебя есть теория?

— Да. Я не думаю, что Тюльпановый Голландец окажется мошенником, но он наверняка не так богат, как убеждает Анну с матерью. Мне кажется, после смерти Анны ее мать уедет с ним в Нидерланды в надежде счастливо прожить с Голландцем свои дни, но ничего не получится — ее будет тянуть туда, где лежит дочь.

Я не догадывалась, что он так много думал об этой книге и что «Царский недуг» многое для него значит независимо от того, что я тоже многое значу для Гаса.

Внизу, у каменных стен канала, тихо плескалась вода; мимо кучей-малой проехала компания, быстро-быстро перекликаясь на резком, гортанном голландском; полузатопленные крошечные лодки, в длину не больше моего роста; запах застоявшейся воды; рука Гаса, обнимавшая меня; его настоящая нога, касавшаяся моей настоящей ноги от бедра до стопы... Я прижалась к Гасу чуть сильнее. Он вздрогнул.

— Прости. Больно?

Он болезненно выдохнул «нет».

— Прости, — сказала я. — Костлявое плечо.

— Все о'кей, — сказал он. — Даже приятно.

Мы сидели долго. В конце концов его рука покинула мое плечо и улеглась на спинку скамейки. Мы смотрели в канал. Я думала о том, как голландцы ухитряются сохранять свой город, хотя этой территории полагается быть под водой, и что для доктора Марии я своего рода Амстердам, полузатонувшая аномалия. От этого я плавно перешла к мыслям о смерти.

— Можно спросить тебя о Кэролайн Мэтерс?

— А еще говоришь, что не веришь в жизнь после смерти, — отозвался Гас, не глядя на меня. — Да, можно, конечно. Что ты хочешь узнать?

Я хотела знать, что Гас выдержит, если я умру. Не хотела быть гранатой, не желала быть злой силой в жизни любимых мною людей.

— Ну, просто, как все было.

Гас испустил такой длинный выдох, что моим дрянным легким это показалось хвастовством, и вставил в рот новую сигарету.

— Знаешь загадку — на какой игровой площадке не играют? На больничной. — Я кивнула. — Я лежал в «Мемориале» недели две, когда мне отняли ногу и начали химию. Лежал я на пятом этаже с видом на игровую площадку, которая всегда была пустой. Я купался в метафорическом резонансе пустой игровой площадки на больничном дворе. Но затем туда стала выходить девушка. Каждый день она качалась на качелях одна, как в кино. Я попросил одну из самых отзывчивых медсестер разузнать о ней побольше, а она привела девушку знакомиться. Это была Кэролайн, и я пустил в ход всю свою невероятную харизму, чтобы ее очаровать. — Гас замолчал, и я решила что-нибудь сказать.

— Вовсе ты не так уж харизматичен, — заявила я. Он недоверчиво фыркнул. — Ты просто хорош собой, вот и все, — пояснила я.

Он скрыл смущение смехом.

— Штука с мертвыми в том... — начал он, но остановился. — Штука в том, что ты кажешься подлецом, если не романтизируешь мертвых, но правда — сложная вещь. Ну, ты же знаешь образ стоической, несгибаемой жертвы рака, которая героически борется с болезнью, противится ей с нечеловеческой силой, никогда не жалуется и не перестает улыбаться даже на смертном одре?

— О да, — подхватила я. — Добросердечные и великодушные, каждый их вздох вдох-но-вля-ет всех нас! Какие сильные люди, как мы ими восхищаемся!

— Да, но в действительности — нас с тобой я не имею в виду — чисто статистически больные раком дети не более здоровых прекрасны, сострадательны или упорны. Кэролайн вечно ходила мрачная и несчастная, но мне это нравилось. Мне нравилось сознавать, что из всех людей на свете она выбрала меня как наименее ненавистного. Мы проводили время, цепляясь ко всем на свете. Доводили медсестер, других детей, наших родителей, критиковали всех подряд. Не знаю, кто виноват — она или ее опухоль. Одна из медсестер как-то сказала мне, что заболевание Кэролайн на медицинском жаргоне называется «сволочной опухолью», потому что превращает человека в чудовище. Так вот девушка, у которой удалили пятую часть мозга и только что обнаружили рецидив «сволочной опухоли», отнюдь не была образцом стоического детско-онкологического героизма. Она была... Честно признаться, она была стервой. Но так говорить нельзя, потому что, во-первых, у Кэролайн была специфическая опухоль, а во-вторых, она умерла. У нее была масса причин быть неприятной, понимаешь?

Я понимала.

— Знаешь, в той части «Царского недуга», когда Анна идет через футбольное поле на физкультуру или куда-то там, и с размаху падает в траву, и понимает, что рак вернулся, что метастазы уже в нервной системе, и она не может подняться, и ее лицо в паре дюймов от травы, и она застывает, глядя на травинки вблизи, замечая, как освещает их солнце... Я не помню строчку дальше, но там что-то о том, как на Анну нисходит озарение в стиле Уитмена: человеческую суть можно определить как возможность восхищаться величием творения. Помнишь этот момент?

— Очень хорошо помню, — сказала я.

— И потом, когда мне все нутро выжгли химиотерапией, отчего-то я решил по-настоящему надеяться — не конкретно на выживание; меня, как Анну, охватили глубокое волнение и чувство благодарности за простую возможность восхищаться всем, что нас окружает.

Но Кэролайн с каждым днем становилось хуже. Вскоре ее отпустили домой, и были минуты, когда мне казалось, что у нас могут быть настоящие, ну, отношения, но в действительности этого быть не могло, потому что у нее отсутствовал фильтр между мыслями и речью, что было печально, неприятно и нередко обидно. Но нельзя же бросать девушку с опухолью мозга! И ее родителям я понравился, и у нее был классный младший брат, как же можно было ее бросить? Ведь она умирала! Тянулось все это целую вечность. Почти год я встречался с девушкой, которая ни с того ни с сего начинала смеяться, указывала на мой протез и называла меня Культяпкой.

— Господи, нет, — сказала я.

— Да! Это, конечно, все опухоль, сожравшая ее мозг. Или не опухоль, черт ее разберет. У меня не было способа выяснить, они же были неразделимы, Кэролайн и опухоль. Болезнь брала свое, и Кэролайн взяла в привычку повторять одни и те же истории и смеяться над собственными комментариями, и так по сто раз на дню. Она неделями повторяла шутку: «Ноги у Гаса классные, только одной не хватает», после чего хохотала как безумная.

— О, Гас... — пролепетала я. — Это... — Я не знала, что сказать. На меня он не смотрел, и мне казалось нескромным смотреть на него. Я чувствовала, что он глядит вперед. Он вынул сигарету изо рта, посмотрел на нее, покатал большим и указательным пальцами и снова сунул в рот.

— Надо отдать должное, — заметил он, — у меня действительно классная нога.

— Мне очень жаль, — сказала я. — Мне правда очень, очень жаль.

— Все нормально, Хейзел Грейс. Но если договаривать до конца, когда мне показалось, что в группу поддержки явился призрак Кэролайн Мэтерс, я вовсе не обрадовался. Я смотрел, но желания не испытывал, если ты понимаешь, о чем я. — Он вынул из кармана сигаретную пачку и убрал сигарету обратно.

— Мне очень жаль, — снова извинилась я.

— Мне тоже, — сказал он.

— Никогда так с тобой не поступлю, — пообещала я.

— А я бы не возражал, Хейзел Грейс. Большая честь — ходить с сердцем, разбитым тобой.

Глава 12

Я проснулась в четыре по голландскому времени, готовая к новому дню. Все попытки снова заснуть потерпели неудачу, поэтому я лежала, слушая, как аппарат ИВЛ нагнетает воздух и выгоняет его из легких, и радовалась драконьему урчанью, хотя с большим удовольствием слушала бы собственное дыхание.

Я перечитывала «Царский недуг» в ожидании, пока проснется мама. Около шести она повернулась ко мне и сонно положила голову мне на плечо, что было неудобно.

Завтрак, который нам принесли в номер, к моему удовольствию, включал, помимо полного отрицания стандартов американского завтрака, деликатесную мясную нарезку. Платье, которое я планировала надеть для встречи с Питером ван Хаутеном, в процессе отбора получило повышение и было признано достойным ужина в «Оранжи», поэтому, когда я приняла душ и усмирила волосы, мы с мамой полчаса обсуждали разнообразные плюсы и минусы наличных нарядов, прежде чем я решила одеться под Анну из «Царского недуга»: кеды «Чак Тейлорс», темные джинсы и голубая футболка.

На футболке был принт знаменитой картины сюрреалиста Рене Магритта: он нарисовал курительную трубку и подписал курсивом: «*C'est n'est pas une pipe*» («Это не трубка»).

— Не понимаю я этой футболки, — сказала мама.

— Питер ван Хаутен поймет, поверь. Он тысячу раз ссылается на Магритта в «Царском недуге».

— Но это же трубка!

— Нет, не трубка, — заметила я. — Это изображение трубки. Понимаешь? Любые изображения вещей имманентно абстрактны. Это очень тонко.

— Когда ты успела стать такой взрослой и понимать то, в чем путается твоя старая мать? — спросила мама. — Кажется, только вчера я объясняла семилетней Хейзел, почему небо голубое. Тогда ты считала меня гением.

— А почему небо голубое? — спросила я.

— Потому что, — ответила мама. Я засмеялась.

Время подходило к десяти часам, и я нервничала все больше и больше. Я волновалась перед встречей с Огастусом, волновалась перед встречей с Питером ван Хаутеном, волновалась, что неудачно одета, волновалась, что мы не найдем нужный дом, потому что дома в Амстердаме похожи друг на друга, как близнецы, волновалась, что мы заблудимся и не сможем отыскать «Философа», волновалась, волновалась и волновалась. Мама пыталась со мной заговаривать, но я не слушала. Я уже хотела просить ее подняться на второй этаж и проверить, как там Огастус, когда он постучал в дверь.

Я открыла. Он посмотрел на футболку и улыбнулся.

— Забавно, — сказал он.

— Не называй мои груди забавными, — ответила я.

— Ну не здесь же, — произнесла мама за моей спиной, но я уже достаточно смутила Огастуса, чтобы смелее смотреть в его синие глаза.

— Точно не хочешь пойти? — спросила я маму.

— Я иду в Рейксмузеум и парк Вондела, — пояснила она. — К тому же я не понимаю эту книгу. Не обижайся. Поблагодари от нас его и Лидевидж, о'кей?

— О'кей, — ответила я, стиснув маму в объятиях. Она поцеловала меня в голову, над самым ухом.

Белый дом Питера ван Хаутена находился буквально за углом, в сплошном ряду домов на Вонделстрат, напротив парка. Номер сто пятьдесят восемь. Огастус взял меня за руку, подхватил тележку с баллоном, и мы поднялись на три ступеньки к полированной черно-синей двери. Сердце у меня гулко стучало. Всего одна закрытая дверь отделяет меня от ответов, о которых я размышляла с тех самых пор, как впервые прочитала последнюю незаконченную страницу.

Изнутри слышался мощный басовый ритм, от которого, должно быть, дрожали подоконники. Я удивилась: неужели у Питера ван Хаутена есть ребенок, который любит рэп?

Взявшись за дверное кольцо в виде львиной головы, я нерешительно постучала. Музыка гремела по-прежнему.

— Может, он не слышит? — сказал Огастус, взялся за кольцо и постучал громче.

Музыка стихла, послышались шаркающие шаги. Отодвинулся засов, за ним другой, и дверь со скрипом открылась. Пузатый мужчина с жидкими волосами и отвисшими щеками, покрытыми недельной щетиной, прищурился от яркого уличного света. Он был в голубой мужской пижаме, как в старых фильмах. Лицо и брюшко были такими круглыми, а руки такими тощими, что он казался пончиком, в который воткнули четыре спички.

— Мистер ван Хаутен? — спросил Огастус неожиданно высоким голосом.

Дверь с грохотом закрылась. За ней раздался заикающийся, писклявый вопль: «Ли-и-и-и-де-е-е-ве-ей!» (до этого я произносила имя его ассистентки как Лидевидж).

Все было прекрасно слышно через дверь.

— К нам пришли, Питер? — спросила женщина.

— Лидевей, там, там на пороге два юных видения!

— Видения? — переспросила она с приятным голландским акцентом.

Ван Хаутен прокричал на одном дыхании:

— Фантомы-призраки-духи-упыри-пришельцы с того света, Лидевей! Как при наличии университетского диплома по специальности американская литература можно демонстрировать такое отвратительное знание английского языка?

— Питер, это не привидения, это Огастус и Хейзел, ваши юные поклонники, с которыми вы переписывались.

— Как?! Что?! Они... Я же думал, они в Америке!

— Да, но вы пригласили их в Амстердам, помните?

— Лидевей, ты знаешь, почему я уехал из Штатов? Чтобы никогда больше не встречаться с американцами!

— Но вы и сами американец.

— Да, похоже, что от этого никуда не деться, но *этим* американцам велите немедленно уйти. Объясните, что произошла ужасная ошибка, что приглашение преславного ван Хаутена было риторическим и подобные предложения полагается воспринимать символически...

Мне показалось, что меня сейчас вырвет. Я посмотрела на Огастуса, не сводившего взгляд с двери: его плечи поникли.

— Я этого не сделаю, Питер, — ответила Лидевей. — Вы должны с ними встретиться. Вы обязаны. Вам нужно их увидеть. Вам нужно посмотреть, как много значит ваша работа.

— Лидевей, ты специально обманула меня, чтобы это подстроить?

Последовало долгое молчание, и наконец дверь снова открылась. Ван Хаутен, по-прежнему щурясь, с равномерностью метронома крутил головой от меня к Огастусу.

— Кто из вас Огастус Уотерс? — спросил он. Огастус нерешительно протянул руку.

Ван Хаутен кивнул и сказал:

— Ты уже закончил свои дела с этой цыпочкой?

Так я в первый и единственный раз увидела онемевшего Огастуса Уотерса.

— Я... — начал он, — кгхм, я... Хейзел... Ну...

— Видимо, у юноши задержка развития, — объяснил Питер ван Хаутен своей Лидевей.

— Питер! — возмутилась та.

— Н-ну что ж, — сказал Питер ван Хаутен, протягивая мне руку, — так или иначе встретить таких онтологически невозможных созданий — редкое удовольствие.

Я потрясла его пухлую руку, после чего он обменялся рукопожатием с Огастусом. Я между тем гадала, что такое «онтологически», — мне понравилось слово. Надо же, нас с Огастусом зачислили в Клуб невозможных созданий на пару с утконосами!

Конечно, я надеялась, что Питер ван Хаутен окажется человеком здравого ума, но мир не фабрика по исполнению желаний. Важно, что дверь нам открыли, я перешагнула порог и сейчас узнаю, что произойдет после окончания «Царского недуга». Этого мне хватит. Мы прошли за ван Хаутеном и Лидевей внутрь дома, проследовали мимо огромного дубового обеденного стола с двумя одинокими стульями в неприятно голую гостиную. Вылитый зал музея, только на пустых белых стенах ни одной картины. Если не считать дивана и шезлонга, замысловатых конструкций из стали и черной кожи, комната оказалась пустой. Через секунду я заметила за диваном два больших черных мусорных мешка, полных и завязанных.

— Мусор? — тихо спросила я у Огастуса, думая, что никто больше не услышит.

— Почта от поклонников, — отозвался ван Хаутен, усаживаясь в шезлонг. — За восемнадцать лет. Не открываю. Не могу. Ужасно боюсь. Ваши письма стали первыми, на которые я ответил, и видите, к чему это привело? Ей-богу, существование читателей во плоти я считаю крайне неинтересным.

Вот и объяснение, отчего он ни раз не ответил на мои письма. Он их не читал. Я не поняла, для чего он тогда вообще их хранит, да еще в совершенно пустой гостиной. Ван Хаутен забросил ноги на оттоманку и скрестил шлепанцы, указав нам на диван. Мы с Огастусом сели рядом друг с дружкой, но не вплотную.

— Не хотите ли позавтракать? — спросила Лидевей.

Я начала говорить, что мы уже поели, когда ван Хаутен перебил:

— Лидевей, для завтрака еще слишком рано.

— Но они из Америки, Питер, для их организмов сейчас первый час.

— Тогда для завтрака уже слишком поздно, — сказал он. — Однако, раз уж в организме первый час и все такое, надо выпить по коктейлю. Ты скотч пьешь? — спросил он у меня.

— Пью ли я... Нет-нет, спасибо, не надо, — ответила я.

— А Огастус Уотерс? — спросил ван Хаутен, кивнув на Гаса.

— Благодарю, я воздержусь.

— Тогда только один бокал, Лидевей. Скотч с водой сделай. — И Питер обратился к Гасу: — Знаешь, как в этом доме делают скотч с водой?

— Нет, сэр, — ответил Гас.

— Мы наливаем скотч в бокал, призываем мысль о воде и смешиваем реальный скотч с абстрактной идеей воды.

— Может быть, сначала немного поесть, Питер? — предложила Лидевей.

Он посмотрел на нас и прошептал драматическим шепотом:

— Она считает, у меня проблема с алкоголем.

— А еще я считаю, что солнце взошло, — отозвалась Лидевей, но все же подошла к бару, достала бутылку скотча, налила полбокала и принесла ван Хаутену. Сделав глоток, тот выпрямился в своем шезлонге.

— Такой хороший скотч заслуживает, чтобы его пили в красивой позе.

Я сразу подумала о собственной позе и незаметно выпрямилась. Поправила канюлю. Папа всегда говорил, что о людях можно судить по тому, как они обращаются с секретарями и официантами. По этой мерке Питер ван Хаутен был законченным уродом.

— Стало быть, вам нравится моя книга, — сказал он Огастусу после второго глотка.

— Да, — ответила я за Огастуса. — Мы, то есть Огастус, назвал встречу с вами своим заветным Желанием, и мы смогли приехать, чтобы вы нам рассказали о дальнейшей судьбе героев «Царского недуга».

Ван Хаутен ничего не сказал и сделал большой глоток.

Через минуту Огастус добавил:

— Ваша книга очень сблизила нас с Хейзел.

— Но вы же не близки, — заметил он, не глядя на меня.

— Это произведение почти окончательно сблизило нас, — сказала я.

Тогда он повернулся ко мне.

— Вы специально оделись, как она?

— Как Анна? — уточнила я.

Он молча смотрел на меня.

— Ну как бы да, — ответила я.

Он снова сделал большой глоток и поморщился.

— Нет у меня проблемы со спиртным, — неожиданно громко объявил он. — У меня с алкоголем отношения такие же, как были у Черчилля: я могу отпускать шутки, править Англией, делать все, что душе угодно, но вот не пить не могу. — Он покосился на Лидевей и кивнул на свой бокал. Она взяла его и пошла к бару. — Лишь идея воды, Лидевей! — напомнил он.

— Да поняла я, — сказала она почти с американским акцентом.

Когда она принесла второй бокал, ван Хаутен снова выпрямился из уважения. Он сбросил шлепанцы.

Ступни у него были на редкость уродливые. У меня на глазах Питер ван Хаутен разрушал весь свой образ гениального автора, но у него были ответы.

— Кгхм, — откашлялась я. — Прежде всего разрешите вас поблагодарить за вчерашний ужин и...

— Мы оплатили им ужин? — спросил ван Хаутен у Лидевей.

— Да, в «Оранжи».

— А, ну да. Благодарите не меня, а Лидевей: она наделена редкостным талантом тратить мои деньги.

— Мы очень рады, что вам понравилось, — сказала мне Лидевей.

— В любом случае спасибо, — произнес Огастус с едва уловимой ноткой раздражения в голосе.

— Ну, вот он я, — раздался через мгновение голос ван Хаутена. — Какие у вас вопросы?

— Э-э... — протянул Огастус.

— А по письму казался таким умным, — заметил ван Хаутен, имея в виду Огастуса. — Видимо, рак уже завоевал в его мозгу обширный плацдарм.

— Питер! — прикрикнула Лидевей.

Я тоже была шокирована, но одновременно меня странным образом успокаивало, что настолько неприятный человек не выказывает нам уважения.

— У нас действительно есть несколько вопросов, — произнесла я. — Я писала о них в своем и-мейле, не знаю, помните ли вы...

— Не помню.

— У него проблемы с памятью, — извиняющимся тоном сказала Лидевей.

— Ах, я был бы только рад, если б моя память ухудшилась, — огрызнулся ван Хаутен.

— Итак, наши вопросы, — напомнила я.

— «Наши»! Надо же, королева какая, — сказал Питер, ни к кому в особенности не обращаясь, и снова отпил скотча. Я не знаю, каков скотч на вкус, но, если он хоть немного напоминает шампанское, я даже представить не могу, как можно пить так много, так быстро и так рано с утра. — Тебе знаком парадокс Зенона о черепахе?

— Мы хотели бы знать, что случится с персонажами после окончания книги, особенно с матерью...

— Зря ты думаешь, что мне нужно выслушивать твой вопрос до конца, чтобы ответить. Ты знаешь философа Зенона? — Я неопределенно покачала головой. — Увы. Зенон жил до Сократа и, как считается, открыл сорок парадоксов в картине мира, предложенной Парменидом. Уж Парменида-то ты, конечно, знаешь? — спросил ван Хаутен. Я кивнула: дескать, прекрасно знаю вашего Парменида — хотя понятия не имела, о ком идет речь. — Ну слава Богу, — сказал ван Хаутен. — Зенон профессионально занимался поиском неточностей и чрезмерных упрощений у Парменида, что было несложно, потому что Парменид был решительно не прав везде и всегда. Парменид незаменим, как приятель, который на скачках всегда ставит не на ту лошадь. Но самый важный парадокс Зенона... Погодите, обрисуйте мне степень вашего знакомства со шведским хип-хопом!

Я не поняла, шутит Питер ван Хаутен или нет. Через секунду за нас ответил Огастус:

— Очень небольшая.

— Но вы, наверное, слышали оригинальный альбом «Ничегонеделанье» Афаси и Филси?

— Не слышали, — сказала я за нас обоих.

— Лидевей, поставь сейчас же «Бомфаллерала»!

Лидевей подошла к МП3-плееру, повернула немного колесико и нажала кнопку. Отовсюду зазвучал рэп. Мне он показался совершенно обычным, только слова были шведские.

Когда песня закончилась, Питер ван Хаутен выжидательно уставился на нас, до отказа вытаращив маленькие глазки.

— Да? — спросил он. — Да?

— Простите, сэр, но мы не знаем шведского, — пояснила я.

— Какая разница! Я тоже не знаю. Кому этот шведский, на фиг, нужен? Важно не то, какую чушь лепечет голос, а какие чувства этот голос вызывает. Вы, разумеется, знаете, что существуют всего два чувства — любовь и страх, и эти Афаси и Филси лавируют между ними с легкостью, которой просто не найти в хип-хопе за пределами Швеции. Хотите еще раз послушать?

— Вы что, шутите? — не выдержал Гас.

— Простите?

— Это какой-то розыгрыш? — Гас посмотрел на Лидевей. — Да?

— Боюсь, что нет, — ответила Лидевей. — Он не всегда... Это довольно необычно...

— Заткнись ты, Лидевей! Рудольф Отто говорил, если вы не сталкивались со сверхъестественным, не пережили иррациональную встречу с ужасной тайной, тогда его сочинения не для вас. А я заявляю вам, юные друзья, что, если вы не способны услышать натужно храбрый ответ страху в песне Афаси и Филси, тогда мой роман не для вас.

Я даже не могу выразить, насколько обычной была эта рэп-композиция, только на шведском.

— Так вот, — снова вернулась я к теме. — О «Царском недуге». Мать Анны в момент окончания книги собирается...

Ван Хаутен перебил меня, одновременно барабаня по бокалу, пока Лидевей не наполнила его снова:

— Так вот, Зенон знаменит в основном своим парадоксом о черепахе. Представим, что вы соревнуетесь с черепахой. У черепахи на старте фора в десять ярдов. За время, которое вы потратите, чтобы пробежать эти десять ярдов, черепаха проползет, может, один ярд. Пока вы бежите этот ярд, черепаха уходит еще немного дальше, и так до бесконечности. Вы быстрее черепахи, но вам никогда ее не догнать, вы можете только сократить разрыв. Конечно, можно просто бежать за черепахой, не задумываясь, какие при этом действуют механизмы, но вопрос, как вы будете это делать, оказался невероятно сложным, и никто не мог решить проблему, пока Георг Кантор не доказал, что некоторые бесконечности больше других бесконечностей.

— Гхм, — произнесла я.

— Я полагаю, это ответ на твой вопрос, — уверенно заявил он и щедро отхлебнул из бокала.

— Не совсем, — сказала я. — Нас интересовало, что произойдет после окончания «Царского недуга»...

— Я отрекаюсь от этого омерзительного сочинения, — оборвал меня ван Хаутен.

— Нет, — возразила я.

— Что, простите?

— Это неприемлемо, — пояснила я. — Ясно, что повествование обрывается на полуфразе, потому что Анна умирает или слишком больна, чтобы продолжать рассказ, но вы написали, что расскажете о судьбе каждого героя, за этим мы и приехали. Нам, *мне* нужно, чтобы вы об этом рассказали.

Ван Хаутен вздохнул. После нового бокала он сказал:

— Очень хорошо. Чья история вас интересует?

— Матери Анны, Тюльпанового Голландца, хомяка Сизифа. Просто скажите, что происходит дальше с каждым из них?

Ван Хаутен закрыл глаза и надул щеки, выдыхая воздух, затем поднял глаза на неоштукатуренные деревянные балки, перекрещенные под потолком.

— Хомяк, — произнес он спустя некоторое время. — Хомяка возьмет себе Кристина, одна из подружек, которые были у Анны до болезни. — Мне это показалось разумным: Кристина и Анна играли с Сизифом в нескольких эпизодах. — Кристина возьмет его к себе, он проживет еще пару лет и мирно почиет в своем хомячьем сне.

Ну вот наконец-то хоть что-то стоящее.

— Отлично, — сказала я. — Отлично. Так, а теперь Тюльпановый Голландец. Он мошенник или нет? Поженятся они с мамой Анны?

Ван Хаутен по-прежнему разглядывал потолочные балки. Он отпил скотча. Бокал уже снова почти опустел.

— Лидевей, я так не могу. Не могу. Не могу! — Он медленно опустил взгляд и посмотрел мне в глаза: — Ничего с Голландцем дальше не происходит. Он ни мошенник, ни порядочный человек; он *Бог*, явная и недвусмысленная метафорическая репрезентация Бога, и спрашивать, что с ним сталось, — интеллектуальный эквивалент вопроса, что сталось с глазами доктора Эклберга в «Гэтсби»*. Поженятся ли они с мамой Анны? Мы говорим о романе, дорогое дитя, а не о каком-то историческом событии.

— Да, но вы же наверняка представляли, что с ними будет дальше, пусть даже как с персонажами, независимо от их метафорического значения?

— Они придуманные, — ответил он, снова барабаня по бокалу. — С ними ничего не будет.

— Вы обещали сказать, — настаивала я, решив проявить упорство. Я видела, что нужно удерживать его рассеянное внимание на моих вопросах.

— Возможно, но я пребывал под ложным впечатлением, что ты не осилишь трансатлантический перелет. Я хотел дать тебе какое-то утешение, что ли. Зря я так поступил, надо было дважды подумать. Но если быть абсолютно честным, ребяческая идея, что автор романа обладает особой проницательностью в отношении героев своей книги, просто нелепа. Роман состоит из строчек, дорогая. Населяющие его персонажи не имеют жизни за пределами этих каракуль. Что с ними сталось? Они перестали существовать в ту минуту, когда книга закончилась.

— Нет, — запротестовала я, вставая с дивана. — Это все понятно, но как же можно не задуматься, что с ними будет потом? У вас больше всего прав придумать им будущее. Что станется с матерью Анны? Она либо выйдет замуж, либо нет, переедет в Нидерланды с Тюльпановым Голландцем либо не переедет, у нее либо будут

---

* Глаза доктора Эклберга в романе Ф.С. Фицджеральда «Великий Гэтсби» — это заброшенный рекламный щит с изображением огромных глаз — рекламой врача-окулиста. Глядя на эти глаза, герой романа проникается убеждением, что «Господь все видит», и решает убить Гэтсби.

еще дети, либо нет. Я хочу знать, как сложится ее жизнь.

Ван Хаутен поджал губы.

— Обидно, что я не могу снисходительно отнестись к твоим ребяческим капризам, но я отказываю тебе в жалости, к которой ты привыкла.

— Я не нуждаюсь в вашей жалости, — сказала я.

— Как все больные дети, — бесстрастно заявил он, — ты говоришь, что не нуждаешься в жалости, тогда как от нее зависит само твое существование!

— Питер! — перебила Лидевей, но он продолжал, откинувшись на спинку шезлонга и уже не очень внятно выговаривая слова заплетающимся языком:

— Развитие больных детей неминуемо останавливается. Твоя судьба — прожить свои дни ребенком, каким ты была, когда тебе поставили диагноз, ребенком, который верит в жизнь после окончания книги. Мы, взрослые, относимся к этому с жалостью, поэтому платим за твое лечение, за кислородные баллоны, кормим тебя и поим, хотя вряд ли ты проживешь долго...

— Питер!!! — крикнула Лидевей.

— Ты — побочный эффект процесса эволюции, — продолжал ван Хаутен, — которому мало дела до отдельных жизней. Ты неудачный мутационный эксперимент...

— Я увольняюсь! — заорала Лидевей.

В ее глазах стояли слезы, но я была совершенно спокойна. Ван Хаутен искал самый обидный способ сказать правду, которую я давно знала. Я несколько лет глядела в потолки комнат — от своей спальни до палаты интенсивной терапии — и уже много месяцев назад нашла самые болезненные способы описать свое состояние. Я сделала пару шагов и остановилась перед ним.

— Слушай, умник, — сказала я. — Мне о раке ты не откроешь ничего нового. Мне от тебя нужно одно-единственное, после чего я навсегда уйду из твоей жизни: *что будет с матерью Анны?*!

Он поднял свои многочисленные дряблые подбородки и пожал плечами.

— О ней я могу сообщить тебе не больше, чем, скажем, о прустовском рассказчике, о сестре Холдена Колфилда* или о Гекльберри Финне после того, как он удрал на индейскую территорию.

— ВРАНЬЕ! Чушь собачья! Ну скажите, придумайте что-нибудь!

— Нет! И буду благодарен, если ты не станешь больше сыпать бранью у меня в доме. Это не годится для леди.

Я еще не совсем разозлилась, просто очень хотела получить то, что мне обещали. Что-то внутри меня переполнилось, и я с размаху ударила его по пухлой руке с бокалом. Остатки скотча оросили внушительную площадь лица великого писателя, а бокал, спружинив о толстый нос, по-балетному закружился в воздухе и вдребезги разбился о старинный деревянный пол.

— Лидевей, — спокойно произнес ван Хаутен. — Один мартини, пожалуйста. С намеком на вермут.

— Я у вас уже не работаю, — сказала Лидевей через несколько секунд.

— Не глупи.

Я не знала, что делать. Уговоры не помогли. Буйство не сработало. Мне нужен ответ. Я прилетела сюда из Америки, потратила заветное Желание Огастуса. Мне нужно знать!

* Герой романа Дж. Сэлинджера «Над пропастью во ржи».

— Ты хоть когда-нибудь задумывалась, — уже совсем невнятно произнес он, — почему тебя так волнуют твои глупые вопросы.

— ВЫ ОБЕЩАЛИ!!! — выкрикнула я, и мой крик отозвался в ушах бессильным воем Айзека в Ночь разбитых трофеев. Ван Хаутен не ответил.

Я стояла над ним, ожидая каких-нибудь слов, когда рука Огастуса легла мне на плечо. Он потянул меня к двери, и я пошла за ним. Вслед нам ван Хаутен разразился тирадой о неблагодарности современных подростков и гибели культурного общества, а Лидевей почти в истерике что-то быстро-быстро говорила ему по-голландски.

— Вы уж простите мою бывшую помощницу, — сказал ван Хаутен. — Голландский — это не язык, это заболевание горла!

Огастус вывел меня из гостиной, довел до порога, и мы вместе вышли в весеннее утро под конфетти вязов.

Мне невозможно вылететь подобно пуле, так что мы сошли по ступенькам — тележку держал Огастус — и двинулись к «Философу» по неровному тротуару, в сложном порядке вымощенному прямоугольными камнями. Впервые после истории с качелями я заплакала.

— Эй, — сказал Огастус, тронув меня за талию. — Да все о’кей! — Я кивнула и вытерла лицо тыльной стороной ладони. — Вот козел... — Я снова кивнула. — Напишу я тебе эпилог, — пообещал Гас. Я заплакала сильнее. — Обязательно напишу, — повторил он. — И получше того дерьма, которое накропала бы эта пьянь. У него мозг уже как швейцарский сыр. Он даже не помнит, что когда-то написал книгу. Я могу написать в десять раз лучше. У меня в романе будут кровь, кишки и высокая жертвенность, смесь «Царского недуга» и «Цены рассвета». Тебе понравится.

Я кивала, силясь улыбнуться, а потом он меня обнял, прижав сильными руками к мускулистой груди, и я слегка промочила его рубашку поло, но вскоре смогла говорить.

— Я потратила твое заветное Желание на этого урода, — пробормотала я в грудь Огастусу.

— Нет, Хейзел Грейс. Я, так и быть, соглашусь, что ты потратила мое единственное Желание, но не на него. Ты потратила его на нас.

Сзади послышался частый цокот каблуков — кто-то торопился нас догнать. Я обернулась. Это была Лидевей, которая в полном смятении, с растекшейся подводкой для глаз, бежала за нами по тротуару.

— Давайте сходим в дом Анны Франк, — предложила она.

— Я никуда не пойду с этим чудовищем, — возразил Огастус.

— А его никто и не приглашает, — сказала Лидевей. Огастус по-прежнему обнимал меня, словно стараясь защитить: прикрывая ладонью половину моего лица.

— Вряд ли... — начал он, но я перебила:

— Мы с удовольствием сходим.

Я по-прежнему хотела получить ответы от ван Хаутена, но это не все, что мне было нужно. У меня оставалось всего два дня в Амстердаме с Огастусом Уотерсом, и я не могла позволить какому-то старому дураку все испортить.

У Лидевей был громоздкий серый «фиат» с мотором, звук которого напоминал бурный восторг четырехлетней девочки. Когда мы ехали по улицам Амстердама, Лидевей многократно и многословно извинялась.

— Мне очень жаль, это непростительно, но он очень болен, — говорила она. — Я думала, встреча с вами ему поможет, показав, что в романе описаны реальные судьбы, но... Мне очень, очень жаль. Крайне неловко вышло. — Ни я, ни Огастус ничего не сказали. Я сидела сзади, прямо за ним, и украдкой водила рукой между дверцей машины и его сиденьем, но не могла нащупать его руку. Лидевей продолжала:

— Я работала у Питера, потому что считала его гением, ну и оплата хорошая, но постепенно он превратился в чудовище.

— Видимо, он хорошо заработал на своем романе, — помолчав, заметила я.

— О нет-нет, дело не в этом. Он же ван Хаутен, — сказала Лидевей. — В семнадцатом веке один из его предков открыл способ смешивать какао с водой. Часть ван Хаутенов давно перебралась в Соединенные Штаты, Питер их потомок, но после выхода книги он вернулся в Нидерланды. Он — позор своей великой семьи.

Мотор заскрипел. Лидевей переключила передачу, и мы въехали на крутой мост.

— Это все обстоятельства, — объявила она. — Обстоятельства сделали его таким жестоким, он ведь не дурной человек. Но сегодняшнего я никак не ожидала. Когда Питер говорил все эти ужасные вещи, я не верила своим ушам. Мне очень жаль, очень, очень жаль.

Парковаться пришлось за квартал от дома Анны Франк. Пока Лидевей стояла в очереди за билетами, я, прислонившись спиной к маленькому деревцу, сидела и глядела на пришвартованные плавучие дома на канале Принсенграхт. Огастус стоял надо мной, неторопливо возя кругами тележку с кислородным баллоном и наблюдая, как крутятся колесики. Я хотела, чтобы он присел рядом, но знала, что ему трудно садиться и еще тяжелее вставать.

— Все о'кей? — спросил он, взглянув на меня сверху вниз. Я пожала плечами и положила руку на его голень. Это была часть протеза, но я подержалась за нее. Гас продолжал смотреть на меня.

— Я хотела... — начала я.

— Я знаю, — сказал он. — Мир действительно не фабрика по исполнению желаний.

Я слабо улыбнулась.

Вернулась Лидевей с билетами. Ее тонкие губы были тревожно сжаты.

— Там нет лифта, — предупредила она. — Мне очень жаль.

— Ничего, — успокоила я ее.

— Да, но там много ступенек, — возразила она. — Крутых ступенек.

— Не страшно, — ответила я. Огастус начал что-то говорить, но я перебила: — Ничего, я справлюсь.

Мы начали с комнаты, где показывали фильм о евреях в Нидерландах, вторжении нацистов и семье Франк. Затем мы поднялись в дом над каналом, где Отто Франк вел свой бизнес. Поднимались мы медленно — и я, и Огастус, — но я чувствовала себя сильной. И вскоре я уже смотрела на знаменитый книжный шкаф, за которым прятались Анна Франк, ее семья и еще четыре человека.

Шкаф был приоткрыт, и за ним была видна узкая крутая лесенка, по которой можно было подниматься только по одному. Вокруг были и другие посетители, я не хотела никого задерживать, но Лидевей сказала: «Прошу чуточку терпения», и я пошла наверх. Лидевей поднималась за мной и несла мою тележку, а Гас шел третьим.

Ступенек было четырнадцать. Я все думала о людях, идущих за мной, в основном взрослых, говорящих на разных языках, и сгорала от неловкости, чувствуя себя призраком, который и пугает, и успокаивает. Наконец я оказалась в странно пустой комнате и прислонилась к стене, мозг говорил легким: *все нормально, все нормально, успокойтесь, все нормально!* — а легкие отвечали мозгу: *о Боже, мы тут подыхаем!* Я даже не видела, как Огастус поднялся наверх, но он подошел, вытер лоб рукой, якобы отдуваясь, и сказал:

— Ты чемпион.

Через несколько минут стояния — чуть ли не сползания по стене — я смогла перейти в соседнюю комнату, в которой жила Анна и зубной врач Фриц Пфеффер. Комнатка была крошечной, безо всякой мебели. Невозможно было догадаться, что здесь кто-то жил, если бы не картинки из журналов и газет, которые Анна приклеила на стену. Здесь они и остались.

Еще одна лестница вела в комнату, где жила семья ван Пельсов. Восемнадцать крутых ступенек — ни дать ни взять знаменитая лестница в рай. Встав на пороге, я окинула их взглядом и поняла — не осилю, но единственная дорога отсюда вела наверх.

— Пошли обратно, — предложил Гас.

— Все нормально, — тихо ответила я. Глупо, но мне казалось, что я перед ней в долгу — перед Анной Франк, я имею в виду, — потому что она мертва, а я нет, потому что она сидела не дыша, не поднимала жалюзи, все делала правильно и все равно умерла, и поэтому я должна подняться по лестнице и увидеть остаток мира, в котором она прожила несколько лет, прежде чем за ней пришли гестаповцы.

По ступенькам я карабкалась, как маленький ребенок: медленно, чтобы оставить себе возможность дышать и осмотреться наверху, прежде чем упаду в обморок. Чернота заползала в сознание со всех сторон, а я затаскивала себя вверх по восемнадцати ступенькам, крутым как не знаю что. Наконец я одолела лестницу, почти ничего не видя и борясь с тошнотой; мышцы рук и ног беззвучно вопили, требуя кислорода. Спиной по стене я осела на пол, дергаясь от глухого кашля. Надо мной висела привинченная к стене пустая витрина, и я смотрела через стекло на потолок, стараясь не потерять сознание.

Лидевей присела возле меня на корточки.

— Ты на самом верху, больше лезть не придется.

Я кивнула. Я смутно понимала, что взрослые вокруг посматривают на меня с тревогой и что Лидевей тихо говорит с ними на одном языке, затем на другом, на третьем, а Огастус стоит рядом и гладит меня по волосам.

Какое-то время спустя Лидевей и Огастус помогли мне подняться на ноги, и я увидела, что защищала стеклянная витрина — карандашные отметки на обоях, показывающие рост детей, пока они жили здесь: дюйм за дюймом до того момента, когда они уже больше не могли расти.

Жилые помещения Франков на этом заканчивались, но мы по-прежнему были в музее — в длинном узком коридоре висели фотографии каждого из восьми жителей флигеля и описания: как, где и когда они умерли.

— Единственный из всей семьи, кто пережил войну, — сказала Лидевей, показывая на отца Анны, Отто. Она говорила негромко, будто в церкви.

— Он не войну пережил, — уточнил Огастус. — Он пережил геноцид.

— Верно, — согласилась Лидевей. — Не представляю, как можно продолжать жить, лишившись своей семьи. Просто не представляю.

Когда я читала о каждом из семерых умерших, я думала об Отто Франке, которого уже никто больше не мог называть папой, оставшемся с дневником Анны взамен жены и двух дочерей. В конце коридора огромная, больше словаря, книга содержала имена 103 000 погибших в Нидерландах во время холокоста (только 5000 из депортированных голландских евреев, как гласила табличка на стене, выжили. Пять тысяч Отто Франков). Книга была открыта на странице с именем Анны Франк, но меня поразило, что сразу за ней шли четыре Аарона Франка. Четыре. Четыре Аарона Франка, оставшихся без посвященных им музеев, без следа в истории, без кого-либо, кто плакал бы по ним. Я про себя решила помнить о четырех Ааронах Франках и молиться о них, пока буду жива (может, кому-то и нужно верить во всемогущего Бога по всем правилам, чтобы молиться, но не мне).

Гас посмотрел на меня и спросил:

— Все о'кей?

Я кивнула.

Он показал на фотографию Анны.

— Обиднее всего, что они почти спаслись, понимаешь? Она погибла за несколько недель до освобождения Нидерландов.

Лидевей отошла на несколько шагов посмотреть видеофильм. Я взяла Огастуса за руку, и мы перешли в следующий зал. Это было помещение в форме буквы «А» с несколькими письмами Отто Франка, которые он писал разным людям во время многомесячных поисков своих дочерей. На стене посреди комнаты демонстрировалась видеозапись выступления Отто Франка. Он говорил по-английски.

— А остались еще нацисты, чтобы я смог их отыскать и подвергнуть правосудию? — спросил Огастус, когда мы склонились над витринами, чтобы прочитать письма Франка и ответы на них, вселяющие отчаяние: нет, никто не видел его детей после освобождения города.

— Мне кажется, все уже умерли. Но нацисты не приобретали монополии на зло.

— Да уж, — заметил он. — Вот что нам надо сделать, Хейзел Грейс: мы должны объединиться в команду и бдящей двойкой инвалидов с ревом носиться по миру, борясь с неправдой, защищая слабых и помогая тем, кто в опасности.

Хотя это была его мечта, а не моя, я отнеслась к ней снисходительно. В конце концов, снизошел же Гас к моей мечте.

— Бесстрашие будет нашим секретным оружием, — сказала я.

— Легенды о наших подвигах будут жить, покуда на Земле будет звучать человеческий голос, — провозгласил он.

— И даже потом, когда роботы отменят людские нелепости вроде жертвенности и сочувствия, нас будут помнить.

— И они станут смеяться механическим смехом над нашим отважным безрассудством, — подхватил Гас. — Но в металлических сердцах зародится желание жить и умереть, как мы — при выполнении героической миссии.

— Огастус Уотерс, — произнесла я, глядя на него и думая, что нехорошо целовать кого-то в доме Анны Франк, но потом решила, что целовала же Анна Франк кого-то в доме Анны Франк и ей бы, наверное, понравилось, если бы в этом доме юных и непоправимо увечных охватила любовь.

— Должен сказать, — с акцентом говорил по-английски на видео Отто Франк, — что я был немало удивлен глубиной мыслей Анны.

И мы поцеловались. Моя рука отпустила тележку с кислородом и обняла Гаса за шею, а он подтянул меня за талию, заставив привстать на цыпочки. Когда его приоткрытые губы коснулись моих, я почувствовала, что задыхаюсь новым и приятным способом. Все вокруг нас исчезло, и я несколько странных мгновений любила свое тело: это изъеденное раком нечто, которое я столько лет таскала на себе, вдруг показалось мне стоящим потраченных усилий, легочных дренажей, центральных катетеров и бесконечного предательства со стороны собственных клеток.

— Это была совсем другая Анна, которую я не знал. Внешне дочь никогда не проявляла своих чувств, — сказал Отто Франк.

Поцелуй длился вечно. Отто Франк за моей спиной продолжал говорить:

— Отсюда я делаю вывод — я ведь был в очень доверительных отношениях с Анной, — что многие родители не знают своих детей.

Я вдруг поняла, что глаза у меня закрыты, и поспешила их открыть. Огастус смотрел на меня. Его голубые глаза были совсем близко к моим, ближе, чем когда-либо, а за ним в три ряда стояли остальные посетители, практически взяв нас в кольцо. Я решила, что они рассержены. Шокированы. Ах, эти подростки со своими гормонами! Надо же, милуются перед экраном, где дрожащим голосом вещает потерявший детей отец!

Я отодвинулась от Огастуса и уставилась на свои кеды. Он коснулся губами моего лба. И вдруг вокруг начали хлопать. Все посетители, все эти взрослые зааплодировали, а один крикнул «Браво!» с европейским акцентом. Огастус, улыбаясь, поклонился. Я со смехом сделала крошечный реверанс, встреченный новым взрывом аплодисментов.

Мы сошли вниз, пропустив всех вперед, и уже собирались отправиться в кафе (слава Богу, на первый этаж и в магазин сувениров нас отвез лифт), когда увидели странички из дневника Анны и ее неопубликованный цитатник, открытый на странице с шекспировскими фразами. «Кто столь тверд, чтобы устоять перед соблазном?» — написала она.

Лидевей подвезла нас к «Философу». Шел мелкий дождик, и мы с Огастусом стояли на мощеном тротуаре, медленно промокая.

О г а с т у с: Тебе, наверное, надо отдохнуть.

Я: Да нет, все о'кей.

О г а с т у с: О'кей. (Пауза.) О чем ты думаешь?

Я: О тебе.

О г а с т у с: И что ты обо мне думаешь?

Я: Не знаю, что и предпочесть, / Красу рулад / Иль красоту подтекста, / Пенье дрозда / Или молчанье после*.

О г а с т у с: Боже, какая ты сексуальная!

Я: Можем пойти к тебе в номер.

О г а с т у с: Я слышал предложения и похуже.

В крошечный лифт мы втиснулись вместе. Все его поверхности, включая пол, были зеркальными. Дверь пришлось закрывать вручную, и старенький агрегат со скрипом медленно поехал на второй этаж. Уставшая, вспотевшая, я боялась, что выгляжу и пахну ужасно, но, несмотря на страх, я поцеловала Огастуса в лифте, а он, чуть отодвинувшись, показал на зеркало:

— Смотри, бесконечные Хейзел.

— Некоторые бесконечности больше других бесконечностей, — прогнусавила я, передразнивая ван Хаутена.

— Вот сволочь, клоун идиотский! — сказал Огастус, а между тем мы все ехали на второй этаж. Наконец лифт рывком остановился, и Гас взялся за зеркальную дверь. Приоткрыв ее наполовину, он вздрогнул от боли и отпустил ручку.

— Ты что? — испугалась я.

Через секунду он произнес:

— Ничего, ничего, просто дверь тяжелая.

Он снова толкнул ее от себя, и на этот раз все получилось. Он, разумеется, пропустил меня вперед, но я не знала, в какую сторону идти, поэтому осталась стоять у лифта, и Гас тоже остановился. Лицо его исказила гримаса боли. Я снова спросила:

---

* Отрывок из стихотворения У. Стивенса «Тринадцать способов увидеть черного дрозда».

— Все о'кей?

— Совсем потерял форму, Хейзел Грейс. Все в порядке.

Мы стояли в коридоре, он не вел меня к себе в номер, а я не знала, где он живет. Патовая ситуация затягивалась, и мне уже начало казаться, что он пытается придумать отговорку, чтобы со мной не связываться, и что мне вообще не надо было ничего такого предлагать, это неблагородно и невоспитанно и оттолкнуло Огастуса Уотерса, который стоит и, моргая, смотрит на меня, ломая голову, как бы вежливо отделаться. Спустя целую вечность он произнес:

— Это выше колена: там небольшое сужение, а потом просто кожа. И там уродливый шрам, выглядит как...

— Ты о чем? — не поняла я.

— О ноге, — уточнил он. — Чтобы ты была готова на случай, ну, то есть если вдруг ты ее увидишь или там...

— О, да пересиль ты себя. — Я сделала два шага, преодолев разделявшее нас расстояние. Прижав Огастуса к стене, я с силой поцеловала его и продолжала целовать, пока он искал ключ от номера.

Мы добрались до кровати — мою свободу несколько сковывал кислородный баллон с трубкой, но я все равно смогла забраться на Гаса сверху, стянуть с него рубашку и попробовать на вкус пот на его ключице, прошептав, касаясь губами его кожи:

— Я люблю тебя, Огастус Уотерс.

При этих словах Гас немного расслабился подо мной. Он попытался снять с меня футболку, но она запуталась в канюле. Я засмеялась.

— Как ты это делаешь каждый день? — спросил он, пока я освобождала футболку от трубок. Мне пришла в голову идиотская мысль, что мои розовые трусы не сочетаются с фиолетовым лифчиком. Можно подумать, мальчишки вообще замечают такие вещи. Забравшись под покрывало, я стянула джинсы и носки и смотрела, как танцует одеяло, под которым Огастус снимал джинсы, а затем и ногу.

Мы лежали на спине рядом друг с другом, до подбородка укрывшись одеялом, но тут я коснулась его бедра и провела пальцами вниз по культе, заканчивавшейся плотной, в рубцах, кожей. На секунду я задержала там руку. Он вздрогнул.

— Больно? — спросила я.

— Нет, — ответил он.

Он перевернулся на бок и поцеловал меня.

— Ты такой красивый, — сказала я, не убирая руку с его ноги.

— Я начинаю думать, что ампутированные конечности — твой фетиш, — ответил он, целуя меня. Я рассмеялась.

— Мой фетиш — Огастус Уотерс, — сказала я.

Весь процесс оказался абсолютной противоположностью тому, чего я ожидала: и медленный, и терпеливый, и тихий, и без особой боли, но и без особого экстаза. Была куча проблем с презервативом, который я не особо рассматривала. Спинка кровати осталась целой, криков не было. Честно признаюсь, это было самое долгое время, которое мы провели вместе не разговаривая.

Только одно получилось в полном соответствии с шаблоном: потом, когда я лежала щекой на груди Огастуса, слушая, как бьется его сердце, он сказал:

— Хейзел Грейс, у меня буквально слипаются глаза.

— Это некорректное обращение к понятию буквальности! — заявила я.

— Нет, — ответил он. — Я. Очень. Устал.

Голова Огастуса склонилась набок, а я лежала, прижавшись ухом к его груди, слушая, как легкие в глубине настраиваются на ровный ритм сонного дыхания.

Через некоторое время я встала, оделась, оторвала листок для записей с логотипом отеля «Философ» и написала Гасу любовное письмо.

Дражайший Огастус,

Твоя Хейзел Грейс.

Глава 13

На следующее утро, в наш последний день в Амстердаме, мама, Огастус и я прошли полквартала от гостиницы до парка Вондела, где заглянули в кафе возле Национального музея кино. Попивая латте, который, как объяснил нам официант, голландцы называют неправильным кофе, потому что в нем больше молока, чем кофе, мы сидели в кружевной тени огромного каштанового дерева и в подробностях пересказывали нашу встречу с великим Питером ван Хаутеном. Мы сделали историю забавной. Я считаю, у нас все-таки есть выбор в этом мире — например, как рассказывать несмешные истории. Нашу мы превратили в юмореску. Огастус, развалившись на стуле, притворялся ван Хаутеном, у которого заплетался язык и который не в силах был подняться с кресла, а я встала, чтобы показать себя — хорохорящуюся и распираемую отвагой.

— Поднимайся, старый жирный урод! — крикнула я.

— Разве ты называла его уродом? — удивился Огастус.

— Не порть мне сцену, — сказала я.

— Я н-не ур-р-род, это ты ур-р-родка, да еще носотрубная.

— Ты трус! — зарычала я, и Огастус расхохотался, выйдя из образа. Я села. Мы рассказали маме о доме Анны Франк, не упоминая о поцелуе.

— А потом вы вернулись к ван Хаутену? — спросила мама.

Огастус ответил так быстро, что я даже не успела покраснеть.

— Нет, посидели в кафе. Хейзел меня немало повеселила одной диаграммой Венна. — Он взглянул на меня. Боже, как хорош этот парень!

— Прелестно, — сказала Гасу мама. — Слушайте, я отправляюсь на прогулку и даю вам возможность пообщаться. Может, потом решимся на экскурсию по каналам.

— Гм, ну хорошо, — ответила я. Мама оставила под блюдцем банкноту в пять евро, поцеловала меня в макушку и прошептала: «Я тебя люблю-люблю-люблю», то есть на два «люблю» больше, чем обычно.

Гас показал на бетонный пол, где перекрещивались и расходились тени от ветвей.

— Красиво, правда?

— Да, — согласилась я.

— Какая хорошая метафора, — пробормотал он.

— Неужели? — спросила я.

— Негативное отображение вещей, которые ветер соединяет, а затем разъединяет, — пояснил он.

Мимо нас бежали трусцой, проезжали на велосипедах или на роликах сотни людей. Амстердам — город, созданный для движения и деятельности, город, где лучше не ездить на машине, поэтому я не могла не чувствовать себя в нем посторонней. Но, Боже, как здесь было красиво — тут ручей пробивал себе путь вокруг огромного дерева, а там цапля спокойно стояла у кромки воды, выискивая завтрак среди миллионов лепестков вязов, плавающих в воде...

Огастус ничего не замечал, заглядевшись, как движутся тени. Наконец он сказал:

— Я могу смотреть на это целый день, но мы должны вернуться в гостиницу.

— А время у нас есть? — спросила я.

Он печально улыбнулся:

— Если бы.

— Что стряслось? — спросила я.

Он кивнул назад, в сторону отеля.

Мы шли молча, Огастус на полшага впереди. Я не решалась спросить, есть ли у меня причины бояться.

Есть одна штука под названием Пирамида потребностей Маслоу. Абрахам Маслоу прославился теорией, что сначала надо удовлетворить самые простые потребности, после чего смогут появиться другие, более сложные. Вот как это выглядит:

Пирамида потребностей Маслоу

Удовлетворив потребность в пище и воде, вы переходите к следующей группе — к безопасности, затем к другой и так далее. Важно здесь то, что, согласно Маслоу, пока не удовлетворены физиологические потребности, человек не в состоянии даже думать о безопасности или любви, не говоря уже о самореализации, которая, видимо, начинается, когда вы занимаетесь искусством или размышляете о морали или квантовой физике.

Согласно Маслоу, я застряла на втором уровне пирамиды, неспособная доверять своему здоровью и соответственно не имеющая возможности посягнуть на любовь, уважение, искусство и так далее, что, конечно, полная фигня и вранье. Желание заниматься искусством или ломать голову над философскими проблемами не исчезает, когда вы заболеваете. Оно лишь претерпевает определенные изменения.

Пирамида Маслоу как бы намекала, что я менее человек, чем другие, и большинство людей с этим согласны. Но не Огастус. Я всегда думала — может, он влюбился в меня, потому что переболел раком. И только сейчас мне пришло в голову, что он по-прежнему мог быть болен.

Мы пришли в мой номер, который «Кьеркегор». Я села на кровать, ожидая, что Огастус сядет рядом, но он опустился в низенькое пыльное кресло с обивкой пейсли. Ну и рухлядь! Сколько ей может быть лет? Пятьдесят?

Я почувствовала, как в горле твердеет комок, когда Гас вытащил сигарету из пачки и сунул в рот. Он откинулся на спинку и вздохнул.

— Перед тем как ты попала в интенсивную, я впервые почувствовал боль в бедре.

— Нет, — сказала я. Паника накрыла меня с головой. Он кивнул:

— Я сходил на позитронную томографию.

Он замолчал, выдернул сигарету изо рта и стиснул зубы.

Немалую часть своей жизни я посвятила стараниям не плакать перед теми, кто меня любит, поэтому я понимала, что делает Огастус. В такие моменты стискиваешь зубы, смотришь в потолок, говоришь себе, что, если они увидят твои слезы, им будет больно и ты превратишься для них в главную печаль их жизни, и ты не должен стать для них сплошной тоской. Поэтому ты не плачешь, и говоришь себе все это, глядя в потолок, и проглатываешь комок, хотя горло не желает смыкаться, и смотришь на человека, который тебя любит, и улыбаешься.

Он сверкнул своей однобокой улыбкой и сказал:

— Я свечусь, как рождественская елка, Хейзел Грейс. Грудь с обеих сторон, левое бедро, печень — везде.

Везде. Это слово несколько секунд висело в воздухе. Мы оба знали, что это значит. Я подошла, протащив свое тело и тележку по ковру, которому лет было больше, чем когда-либо будет Огастусу, опустилась на колени, положила голову ему на бедро и обхватила за талию.

Он погладил меня по волосам.

— Вот беда-то, — прошептала я.

— Я должен был тебе сказать, — спокойно произнес он. — Твоя мама, по-моему, знает. Она так по-особенному на меня смотрит. Видимо, моя мать что-то ей наплела. Надо было тебе сказать. Глупо получилось. Эгоистично.

Я прекрасно понимала, почему он ничего не сказал: по той же причине, по которой и я не желала, чтобы он видел меня в интенсивной. Я не могла сердиться на него ни секунды. Только теперь, когда я сама любила грана-

ту, до меня дошла ослиная глупость попыток спасти
других от того, что я неминуемо скоро разлечусь на осколки: я не могла разлюбить Огастуса Уотерса. И не хотела.

— Это нечестно, — сказала я. — Это так гадски несправедливо!

— Мир, — напомнил Огастус, — не фабрика по исполнению желаний.

И разрыдался — всего на мгновение, бессильно и
яростно, как ударяет гром после вспышки молнии, с
неистовостью, которую дилетанты в области страданий
могли бы принять за слабость. Затем он притянул меня
к себе — между нашими лицами осталось всего несколько дюймов — и решительно заявил:

— Я буду бороться. Я буду бороться ради тебя. Ты за
меня не волнуйся, Хейзел Грейс. Со мной все о'кей.
Я найду способ болтаться рядом и еще долго капать тебе
на мозги.

Я плакала. Но Огастус был еще силен, он обнимал
меня так крепко, что я видела жилы на его руках.

— Прости меня. С тобой все будет о'кей. Со мной
все будет о'кей. Обещаю, — сказал он и улыбнулся уголком рта.

Он поцеловал меня в лоб, и я почувствовала, что его
крепкая грудь спортсмена немного расслабилась.

— Пожалуй, у меня все-таки есть своя гамартия.

Через некоторое время я потянула его к кровати, и
мы легли. Гас сказал мне, что они начали паллиативную
химиотерапию, но он прервал курс ради поездки в Амстердам, хотя родители пришли в ярость. Они пытались
остановить его даже тем утром, когда он кричал за дверью, что его жизнь принадлежит ему.

— Можно было перенести поездку, — сказала я.

— Нельзя, — ответил он. — Да и терапия в любом случае не помогала. Я же чувствую, когда не помогает, понимаешь?

Я кивнула.

— Паллиативная — вообще фигня, — заметила я.

— Когда я вернусь, мне предложат что-нибудь другое. У них всегда найдется новая идея.

— Да уж! — Я и сама вдоволь побывала в роли экспериментальной подушечки для иголок.

— Получается, я тебя обманул, заставив поверить, что ты влюбляешься в здорового, — сказал Гас.

Я пожала плечами.

— Я бы поступила с тобой точно так же.

— Нет, ты бы так не поступила, но не все такие чудесные, как ты. — Он поцеловал меня и сморщился от боли.

— Болит? — спросила я.

— Нет. Просто... — Он долго смотрел в потолок и наконец сказал: — Я люблю этот мир. Я люблю пить шампанское. Мне нравится не курить, нравится слушать, как голландцы говорят по-голландски, а теперь... Я так ни в чем и не поучаствовал. Ни в одном бою не был.

— Тебе нужно победить рак! Это твой бой. И ты будешь продолжать борьбу, — уверяла я. Терпеть не могу, когда меня накачивают, настраивая на борьбу, но тут начала делать то же самое. — Ты... Ты... Ты проживи сегодня как лучший день в жизни. Теперь это твоя война. — Я презирала себя за дешевый пафос, но что еще мне оставалось?

— Война, — произнес он. — С чем я воюю? С моим раком. Что есть мой рак? Мой рак — это я. Опухоли —

такая же часть меня, как мозг и сердце. Это граждан-
ская война, Хейзел Грейс, и ее победитель заранее из-
вестен.

— Гас, — позвала я. И не могла добавить ничего больше. Он был слишком умен для любых моих утешений.

— Все о'кей. — Но ничего не было о'кей. Через секунду он сказал: — Если ты пойдешь в Рейксмузеум,
куда я очень хочу сходить... А-а, кого я обманываю, ни
ты, ни я целый музей не осилим! Я смотрел экспози-
цию онлайн еще до отъезда... Если ты туда сходишь, и
я надеюсь, однажды ты туда сходишь, то увидишь множество изображений умерших. Ты увидишь Иисуса на
кресте, и чувака, которого закололи в шею, и людей,
умирающих в море или в бою, и целый парад мучеников, но Ни. Одного. Ребенка. Умершего. От. Рака. На
картинах никто не подыхает от чумы, оспы, желтой ли-
хорадки, потому что в болезни нет славы. В такой смерти нет смысла. В смерти нет чести, если умираешь *от*
чего-то.

Абрахам Маслоу, позвольте представить вам Огастуса Уотерса, чья экзистенциальная любознательность
дала бы фору любопытству откормленных, залюблен-
ных, здоровых собратьев. В то время как множество
мужчин жили, не задумываясь о том, что их жизни пос-
вящены лишь бесконечному потреблению, Огастус Уотерс, находясь на другом континенте, изучал собрание
Рейксмузеума.

— Что? — спросил Огастус спустя некоторое время.

— Ничего, — отозвалась я. — Просто... — Я не смогла закончить предложение. Не знала как. — Я просто
очень-очень тебя люблю.

Он улыбнулся половинкой рта. Его нос был в дюй-
ме от моего.

— Взаимно. Я рассчитываю, что ты об этом не забудешь и не станешь обращаться со мной как с умирающим.

— Я не считаю тебя умирающим, — произнесла я. — Я считаю, что у тебя всего лишь небольшой рак.

Он улыбнулся. Да, юмор висельника.

— Я на американских горках, и мой поезд едет только вверх, — сказал он.

— А моя привилегия и обязанность ехать с тобой всю дорогу, — заключила я.

— А попробовать сейчас к тебе поприставать было бы полным абсурдом?

— Никаких проб, — отрезала я. — Сразу к делу.

Глава 14

В самолете, который летел в двадцати тысячах футов над облаками, плывшими над землей на высоте десять тысяч футов, Гас сказал:

— Я раньше думал, что жить на облаке прикольно.

— Да, — согласилась я. — Словно в надувном воздушном замке, только навсегда.

— Но в средней школе на уроке физики мистер Мартинес спросил, кто из нас мечтал когда-нибудь пожить на облаках. Все подняли руки. Тогда мистер Мартинес сказал, что на уровне облачного слоя дует ветер со скоростью сто пятьдесят миль в час, температура тридцать градусов ниже нуля и нет кислорода, поэтому все мы умрем за считанные секунды.

— Какой хороший у вас физик был.

— Он специализировался на подрыве воздушных замков, Хейзел Грейс. Думаете, вулканы красивые? Скажите это десяти тысячам вопящих трупов в Помпеях. По-прежнему втайне верите в элемент волшебства в нашем мире? А ведь это все бездушные молекулы, в случайном порядке сталкивающиеся друг с другом. Беспокоитесь, кто будет о вас заботиться, если умрут ваши родители? Определенно стоит, потому что в назначенный срок они станут пищей для червей.

— Неведение — благо, — сказала я.

Стюардесса шла по проходу с тележкой напитков, спрашивая полушепотом:

— Что будете пить? Что будете пить?

Гас перегнулся через меня и поднял руку:

— Можно нам шампанского, пожалуйста?

— Вам есть двадцать один год? — с сомнением спросила она. Я демонстративно поправила канюлю. Стюардесса улыбнулась и бросила взгляд на мою спящую маму. — А она не будет возражать?

— Не-а, — отозвалась я.

И стюардесса налила шампанского в две пластиковые чашечки. Раковый бонус.

Мы с Гасом сдвинули наши чашки.

— За тебя, — сказал он.

— За тебя, — сказала я.

Мы пили маленькими глотками. Звезды оказались тусклее, чем в «Оранжи», но все равно вкусные.

— Знаешь, — начал Гас, — все, что сказал ван Хаутен, правда.

— Может, и правда, но ему незачем было вести себя как последняя сволочь. Ничего себе, для хомяка он будущее представляет, а для матери Анны нет!

Огастус пожал плечами, будто сразу отгородившись от всего.

— Ты чего? — спросила я.

Он едва заметно качнул головой.

— Больно, — объяснил он.

— В груди?

Он кивнул, стиснув кулаки. Позже он описывал ощущение — одноногий толстяк в туфле на шпильке стоит у тебя на груди. Я подняла свой столик, повернула ручку, закрепляя, и нагнулась к его рюкзаку искать таблетки. Гас проглотил одну с шампанским.

— Легче? — спросила я.

Он сидел, сжимая и разжимая кулак в ожидании, пока подействует лекарство, не столько утишавшее боль, сколько отдалявшее Гаса от нее (и от меня).

— Похоже, у него что-то личное, — тихо сказал Гас. — Будто он неспроста вышел из себя. Я про ван Хаутена.

Он быстрыми глотками допил шампанское и вскоре заснул.

Папа ждал нас у выдачи багажа, стоя среди одетых в дорогие костюмы водителей лимузинов, которые держали таблички с фамилиями пассажиров: Джонсон, Бэррингтон, Кармайкл. Папа тоже держал лист с надписью «Моя замечательная семья» и припиской ниже «и Гас».

Я обняла его, и он расплакался (естественно). По дороге домой мы с Гасом рассказывали папе об Амстердаме, но только когда я оказалась дома, подключилась к Филиппу и, поедая американскую пиццу с салфеток, положенных на колени, стала смотреть с папой старые добрые американские телеканалы, я заговорила с ним о Гасе.

— У Гаса рецидив, — сказала я.

— Знаю, — ответил папа, пододвинулся ко мне и добавил: — Его мама сказала нам перед поездкой. Зря он от тебя это скрыл. Мне... мне очень жаль, Хейзел. — Я долго молчала. Шоу, которое мы смотрели, было о людях, выбиравших, какой дом им купить. — А я прочитал «Царский недуг», пока вас не было.

Я повернула голову:

— Ого! И что ты думаешь?

— Хорошо. Слегка мудрено для меня. Я же биохимию в университете изучал, а не литературу. Одного очень хотелось: чтобы роман по-человечески закончился.

— Да, — согласилась я. — Все жалуются.

— Еще роман немного безнадежный, — продолжил он. — Пораженческий.

— Если под «пораженческим» ты подразумеваешь «честный», то я соглашусь.

— Я не считаю пораженчество честным, — отозвался папа. — Я отказываюсь это принимать.

— Значит, все происходит согласно божественному замыслу, и мы все отправимся жить на облаках, играть на арфах и обитать во дворцах?

Папа улыбнулся. Он обнял меня своей большой рукой и, притянув к себе, поцеловал в висок.

— Я не знаю, во что я верю, Хейзел. Раньше я думал, что быть взрослым — это знать, во что веришь, но это не мой случай.

— Да, — произнесла я. — О'кей.

Папа повторил, что ему очень жаль Гаса, и мы снова принялись смотреть шоу, и люди выбирали дом, а папа все обнимал меня большой рукой, и я начала клевать носом, но спать ложиться не хотела, а потом папа сказал:

— Знаешь, во что я верю? Помню, в колледже я изучал математику у очень хорошего преподавателя, миниатюрной такой старушки. Она говорила о быстрых преобразованиях Фурье, но вдруг остановилась на полуслове и заметила: «Иногда мне кажется, Вселенная хочет, чтобы ее заметили». Вот во что я верю. Я верю, что Вселенная хочет, чтобы ее заметили. Я считаю, что

Вселенная скорее имеет сознание, чем нет, что она любит воздавать должное интеллекту, потому что Вселенной нравится, когда замечают ее элегантность. И кто я, живущий в гуще истории, такой, чтобы утверждать, что Вселенная — или мое восприятие Вселенной — недолговечны?

— Ты очень умен, — сказала я спустя некоторое время.

— Ты умеешь делать комплименты, — ответил папа.

На следующее утро я поехала к Гасу домой. Позавтракала с его родителями — сандвичи с арахисовым маслом и желе, рассказала им об Амстердаме, а Гас в это время дремал на диване в гостиной, где когда-то мы смотрели «"V" значит Вендетта». Я видела из кухни, что он лежит на спине, отвернувшись от меня, уже с центральным катетером. Врачи атаковали рак новым коктейлем: два химиопрепарата и белковый рецептор, который, как они надеялись, блокирует онкоген. Мне сказали, что Гасу повезло попасть в эту экспериментальную группу. Повезло, ага. Один из препаратов я знала. Когда при мне произнесли его название, меня чуть не вырвало.

Спустя некоторое время приехал Айзек с мамой.

— Привет, Айзек. Это Хейзел из группы поддержки, а не твоя бывшая подружка-злодейка.

Мать подвела Айзека ко мне, и я, встав с принесенного из столовой стула, обняла его. Ему понадобилась секунда, чтобы меня найти, после чего он с силой обнял меня в ответ.

— Как там в Амстердаме? — спросил он.

— Классно, — ответила я.

— Уотерс, — позвал он. — Ты где, брателло?

— Он спит, — объяснила я, и голос у меня сорвался. Айзек покачал головой. Все молчали.

— Фигово, — произнес он через секунду. Мать подвела его к заранее подставленному стулу, и Айзек сел.

— Я пока еще могу командовать твоей слепой задницей в «Карательных акциях», — сказал Огастус, не поворачивая головы. От лекарств его речь замедлилась, но несильно: всего лишь до темпа разговора обычных людей.

— Готов поспорить, задницы все слепые, — отозвался Айзек, неопределенно шаря руками в воздухе в поисках матери. Она помогла ему подняться и подвела к дивану, где Гас и Айзек неловко обнялись.

— Как ты себя чувствуешь?

— Во рту как кот нагадил, но в остальном я на американских горках, и мой поезд едет только вверх, приятель, — ответил Гас. Айзек засмеялся. — Как твои глаза?

— Прекрасно, — заявил он. — Одна проблема: они уже не в своих орбитах.

— Да, расчудесно, — согласился Гас. — Не подумай, что я не мог без реванша, но мое тело, рискну сказать, сделано из рака.

— Я так и понял, — сказал Айзек, стараясь бодриться и не расклеиваться. Он поискал руку Гаса, но наткнулся на его бедро.

— Он меня обогнал, — произнес Гас.

Мама Айзека принесла два стула из столовой, и мы с Айзеком уселись рядом с диваном. Я взяла Гаса за руку и стала поглаживать ее кругами между большим и указательным пальцами.

Взрослые спустились в подвал выражать соболезнования или не знаю зачем, оставив нас троих в гостиной. Некоторое время спустя Огастус повернул голову, медленно просыпаясь:

— А как там Моника? — спросил он.

— Ни разу ничего, — ответил Айзек. — Ни открыток, ни и-мейлов. У меня есть устройство, читающее и-мейлы. Классная штука, можно менять голос с мужского на женский, задавать акцент и все, что хочешь.

— То есть я могу послать тебе порнорассказ, и ты прослушаешь его в исполнении старого немца?

— Именно, — засмеялся Айзек. — Правда, мама еще помогает с управлением, поэтому придержи немецкую порнушку недельку-другую.

— Неужели она даже сообщение не прислала, чтобы узнать, как твои дела? — не поверила я. Мне это показалось непостижимой несправедливостью.

— Полное радиомолчание, — подтвердил Айзек.

— Нелепость какая, — сказала я.

— Я перестал об этом думать. У меня нет времени на подружку. Я с утра до вечера обучаюсь профессии «Как быть слепым».

Гас снова отвернулся к окну, выходящему во внутренний дворик. Его глаза закрылись.

Айзек спросил, как у меня дела, я сказала — хорошо, и он сообщил, что в группе поддержки появилась новая девочка с очень красивым голосом, и ему нужно, чтобы я сказала, красивая ли она на самом деле. Тут Огастус ни с того ни с сего разозлился:

— Нельзя просто взять и прекратить всякое общение со своим бывшим парнем, после того как ему вырезали чертовы глаза.

— Только один гла... — начал Айзек.

— Хейзел Грейс, у тебя есть пять долларов? — спросил Гас.

— Хм, — опешила я. — Ну да.

— Отлично. Мою ногу найдешь под кофейным столиком.

Гас оттолкнулся от кровати, сел и передвинулся к краю дивана. Я подала протез, который Гас медленными движениями пристегнул.

Я помогла Огастусу встать и, взяв Айзека за руку, повела его, обводя вокруг всякой мебели, неожиданно показавшейся очень громоздкой. Впервые за несколько лет я оказалась самым здоровым человеком в комнате.

Машину вела я, Огастус выступал в роли штурмана, Айзек сидел сзади. Мы остановились у продуктового магазина, где согласно команде Огастуса я купила дюжину яиц, пока они с Айзеком ждали в машине. А потом Айзек по памяти объяснял, как проехать к Монике, жившей в агрессивно-чистом двухэтажном доме около Еврейского общинного центра. Ярко-зеленый «понтиак-файрберд» 90-х годов с толстыми покрышками, на котором ездила Моника, стоял на подъездной дорожке.

— Приехали? — спросил Айзек, почувствовав, что машина остановилась.

— Приехали, — подтвердил Огастус. — Знаешь, что мне кажется? Все надежды, какие мы имели глупость питать, сбываются.

— Она дома?

Гас медленно повернул голову к Айзеку.

— Какая разница, где она? Дело-то не в ней. Дело в тебе.

Гас сжал картонку с яйцами, которую держал на коленях, открыл дверцу и опустил ноги на дорогу. Он открыл дверцу для Айзека и помог ему выйти из машины. Я смотрела в зеркало, как они опираются друг о друга плечами, ниже не соприкасаясь, словно молитвенно сложенные руки с не до конца сведенными ладонями.

Я опустила окошко и смотрела из машины — грядущий акт вандализма заставлял меня нервничать. Они осилили несколько шагов к зеленому «понтиаку», затем Гас открыл картонку и сунул Айзеку в руку яйцо. Айзек метнул снаряд, промахнувшись на добрые сорок футов.

— Немного левее, — сказал Гас.

— Я попал немного левее или целиться нужно немного левее?

— Целься левее. — Айзек слегка развернул плечи. — Левее, — повторил Гас. Айзек повернулся еще. — Да, отлично. И бросай резче. — Гас подал новое яйцо. Айзек запустил второй снаряд. Яйцо просвистело над машиной и разбилось о пологий скат крыши дома.

— В яблочко! — сказал Гас.

— Правда? — загорелся Айзек.

— Нет, футов на двадцать выше машины. Ты бросай резко, но невысоко. И чуть правее по сравнению с последним броском. — Айзек сам нащупал яйцо в картонке, которую прижимал к груди Гас, и швырнул, попав в заднюю фару. — Есть! — закричал Гас. — Есть! Задний габаритный!

Айзек взял новое яйцо, но сильно промазал вправо, еще одно бросил слишком низко, и наконец попал в цель, залив белком и желтком заднее стекло. Затем он три раза подряд попал по багажнику.

— Хейзел Грейс! — крикнул мне Гас. — Скорей снимай, чтобы Айзек посмотрел, когда изобретут электронные глаза!

Я вылезла через опущенное стекло, уселась на дверцу и, опираясь локтями о крышу машины, сделала на мобильный незабываемый кадр: Огастус, с незажженной сигаретой во рту и неотразимой односторонней улыбкой, одной рукой высоко поднимает над головой почти пустую картонку, а другой обнимает за плечи Айзека, чьи темные очки смотрят не совсем в камеру. На заднем плане яичный желток стекает по ветровому стеклу и бамперу зеленого «файрберда». В этот момент открылась дверь дома.

— Что тут... — начала женщина средних лет через секунду после того, как я сделала снимок, — ...во имя Господа... — И тут она замолчала.

— Мэм, — сказал Огастус, обозначив поклон в ее сторону, — машина вашей дочери подвергается заслуженному забрасыванию яйцами слепым юношей. Пожалуйста, закройте дверь и оставайтесь в доме, иначе мы будем вынуждены вызвать полицию. — Поколебавшись, мамаша Моники плотно закрыла дверь. Айзек быстро кинул оставшиеся три яйца, и Гас повел его назад в машину. — Видишь, Айзек, если отобрать у них — впереди бордюр — ощущение собственной правоты, если повернуть ситуацию так, будто они сами нарушают закон, глядя — впереди ступеньки, — как их машину забрасывают яйцами, они теряются, пугаются и считают за благо вернуться к своей — ручка прямо перед тобой — тихой убогой жизни. — Гас открыл переднюю дверцу и медленно опустился на пассажирское сиденье. Двери хлопнули, я нажала на газ и проехала несколько сотен футов, прежде чем увидела, что передо мной тупик. Я развернулась и на хорошей скорости промчалась мимо дома Моники.

Больше мне не удалось сфотографировать Гаса.

Глава 15

Через несколько дней в доме Огастуса наши родители и мы с Гасом, втиснувшись за круглый обеденный стол, ели фаршированные перцы. Стол был застелен скатертью, которую, по уверениям Гасова папаши, последний раз доставали в прошлом веке.

М о й п а п а: Эмили, это ризотто...

М о я м а м а: Просто объеденье.

М а м а Г а с а: О, спасибо. С удовольствием дам вам рецепт.

Г а с, поглотив кусочек: Знаешь, первое впечатление — не «Оранжи».

Я: Верное замечание, Гас. Хоть и вкусно, но не «Оранжи».

М о я м а м а: Хейзел!

Г а с: На вкус это как...

Я: Как пища.

Г а с: Именно. На вкус это как пища, искусно приготовленная. Но ей недостает, как бы деликатно выразиться...

Я: Это просто совсем не похоже на то, когда Бог собственноручно готовит для вас рай в виде перемены из пяти блюд, которые вместе со светящимися шарами

ферментированной пузырящейся плазмы подают на
столик у самого канала, где вы сидите под дождем из
настоящих цветочных лепестков.

Г а с: Удачно сказано.

П а п а Г а с а: Своеобразные у нас детки.

М о й п а п а: Удачно сказано.

Через неделю после этого ужина Гас попал в реанимацию с болью в груди. Его оставили на ночь, поэтому
на другое утро я поехала к нему в «Мемориал». Я не
была здесь с тех пор, как навещала Айзека. В «Мемориале» не было надоевших ярких стен, раскрашенных
в основные цвета, или картин в рамках, изображавших
собак за рулем автомобиля, как в детской больнице, но
голые стены пробудили во мне ностальгию по детской.
«Мемориал» был невероятно функциональным. Пункт
хранения. Накопитель. Прематорий.

Когда лифт открыл двери на четвертом этаже, я увидела миссис Уотерс, которая ходила по коридору, разговаривая по мобильному. Увидев меня, она быстро закончила разговор, подошла обнять и предложила под-
везти тележку.

— Не надо, я справлюсь, — ответила я. — Как Гас?

— У него была трудная ночь, Хейзел, — начала рассказывать она. — Сердце работает на пределе. Ему ве-
лели ограничить активность. С этого дня — только инвалидное кресло. Назначили новое лекарство, которое
должно эффективнее снимать боль. Только что приехали его сестры.

— О'кей, — произнесла я. — Можно его увидеть?

Она обняла меня и стиснула плечо. Я почувствовала себя странно.

— Ты знаешь, что мы тебя любим, Хейзел, но сейчас нам нужно побыть семьей. Гас с этим согласился. О'кей?

— О'кей, — ответила я.

— Я скажу, что ты приходила.

— О'кей, — сказала я. — Я тогда тут почитаю немного.

Она пошла обратно в палату, где лежал Гас. Я все понимала, но я скучала по нему и не могла избавиться от мысли, что упускаю последний шанс увидеться и попрощаться. В зоне ожидания, с коричневым ковром и мягкими стульями, обитыми коричневой тканью, я присела на двухместный диванчик, поставив тележку с баллоном между коленей. Сегодня на мне были кеды и футболка с надписью «Это не трубка», в точности как две недели назад, в День диаграммы Венна, а Гас меня не увидит. Я начала просматривать на телефоне снимки за последние месяцы, будто рисованный в блокноте мультик наоборот, начиная с фотографии Гаса и Айзека у дома Моники и заканчивая первым снимком Огастуса, который я сделала в машине по дороге к Улетным костям. Казалось, сто лет прошло. Все было мимолетным и в то же время бесконечным. Некоторые бесконечности больше других бесконечностей.

Через две недели я катила кресло с Гасом по парку искусств к нашей любимой скульптуре, положив ему на колени бутылку очень дорогого шампанского и свой кислородный баллон. Шампанское подарил один из врачей Гаса — такая уж Огастус Уотерс натура, вдохновляет врачей отдавать детям лучшее шампанское. Мы сели — Гас в своем кресле, я на влажную траву — так близко к Улетным костям, как только удалось подкатить кресло. Я указала на малышей, подначивавших друг друга пропрыгать через остов грудной клетки до плеча. Гас негромко сказал — я едва расслышала его сквозь гам:

— В прошлый раз я представлял себя ребенком. В этот раз — скелетом.

Шампанское мы пили из бумажных стаканчиков с Винни-Пухом.

Глава 16

Типичный день с Гасом на последней стадии.

Я приезжала к нему домой около полудня, когда он уже успевал поесть и выблевать завтрак. Он встречал меня у дверей в инвалидном кресле, уже не мускулистый красавец, не сводивший с меня глаз в группе поддержки, но по-прежнему улыбающийся уголком губ, с незажженной сигаретой во рту, с яркими, живыми голубыми глазами.

За обеденным столом мы ели ленч с его родителями — сандвичи с арахисовым маслом, желе и вчерашнюю спаржу. Гас ничего не ел. Я спросила, как он себя чувствует.

— Великолепно, — ответил он. — А ты?

— Хорошо. Что вчера делал?

— Много спал. Я хочу написать для тебя сиквел, Хейзел Грейс, но эта постоянная треклятая усталость...

— Можешь просто рассказать, — предложила я.

— Я по-прежнему придерживаюсь своего пре-ванхаутеновского мнения о Тюльпановом Голландце: не мошенник, но не так богат, как о себе говорит.

— А мать Анны?

— Здесь я еще не остановился на одном варианте. Терпение, кузнечик, — улыбнулся Огастус. Родители тихо смотрели на него, не сводя глаз, будто хотели успеть натешиться шоу Гаса Уотерса, пока гастроли еще в городе. — Иногда я представляю, как пишу мемуары. Мемуары сохранят меня в сердцах и памяти преданных поклонников.

— Зачем тебе преданные поклонники, когда у тебя есть я? — спросила я.

— Хейзел Грейс, ты такая же очаровательная и физически привлекательная, как я сам, поэтому тебе легко влюблять в себя окружающих. Фокус в том, чтобы вызвать восхищение и любовь у незнакомцев.

Я сделала круглые глаза.

После ленча мы выходили на задний двор. У Гаса еще хватало сил самому двигать свое инвалидное кресло, в нужный момент отрывая от земли маленькие колесики, чтобы через порог перекатились большие, — он был по-прежнему спортивный, несмотря ни на что, одаренный чувством равновесия и быстротой рефлексов, которые даже обилие обезболивающих не могло полностью заглушить.

Родители оставались в доме, но, когда я оглядывалась и смотрела в сторону столовой, я всякий раз встречалась с ними взглядом.

Мы сидели молча, и вдруг Гас сказал:

— Я иногда жалею, что тех качелей больше нет.

— С моего двора?

— Да. Моя ностальгия дошла до крайности, я способен тосковать по качелям, на которые ни разу не опускалась моя задница.

— Ностальгия — побочный эффект рака, — напомнила я.

— Нет, ностальгия — побочный эффект умирания, —
сказал он. Над нами дул ветер, и тени ветвей скользи-
ли по нашей коже. Гас сжал мою руку: — Жизнь — хорошая штука, Хейзел Грейс.

Мы возвращались в дом, когда наступало время
принимать лекарства. Их Гасу вливали вместе с жид-
ким питанием через гастростому — пластиковую трубку, исчезавшую в его животе. На некоторое время он
становился тихим, отключался. Мать хотела, чтобы Гас
поспал, но он лишь отрицательно качал головой, когда она это предлагала, поэтому его, полусонного, оставляли в кресле.

Родители смотрели старое видео с Гасом и его сестрами. Девочки, наверное, были на тот момент моими
ровесницами, а Гасу было лет пять. Они играли в баскетбол на подъездной аллее у другого дома, и Гас, совсем малыш, прекрасно вел мяч, будто родился с этим
умением, бегая кругами вокруг смеющихся сестер.
Я впервые увидела его играющим в баскетбол.

— А у него хорошо получалось, — похвалила я.

— Видела бы ты его в старших классах, — откликнулся отец. — В первый же год стал выступать за школу.

Гас пробормотал:

— Можно мне вниз?

Мать с отцом везли кресло с Гасом по ступенькам.
Кресло опасно подскакивало, но всякая опасность уже
потеряла свою актуальность. Нас оставляли вдвоем. Он
укладывался в кровать, и мы лежали рядом, под одеялом, я на боку, а Гас на спине, и моя голова прижима-
лась к его костлявому плечу. Исходящее от Гаса тепло
сквозь рубашку поло грело мне кожу, мои стопы устра-

ивали потасовки с его настоящей стопой, моя ладонь гладила его по щеке.

Когда я придвигалась к его лицу так близко, что почти касалась его носом и видела одни лишь глаза, то переставала замечать, что он болен. Мы целовались, а потом лежали рядом, слушая одноименный альбом «Лихорадочного блеска», и засыпали, представляя собой путаницу трубок и тел.

Проснувшись, мы раскладывали армаду подушек так, чтобы с удобством усесться на краю кровати и играть в «Карательные акции-2: Цена рассвета». Я, естественно, играла плохо, но это было Гасу на руку. Это облегчало ему задачу умирать красиво: он прыгал под снайперскую пулю, жертвуя собой, или убивал часового, готового меня застрелить. Как он радовался, спасая меня! Он кричал: «Ты не убьешь мою девушку, международный террорист неопределенной национальности!»

Мне в голову приходило симулировать удушье, чтобы он врезал мне под ложечку по Геймлиху*; может, тогда Гас избавился бы от страха, что жизнь прожита и отдана без всякой пользы. Но первую мысль сразу догоняла вторая: Гас физически не сможет с силой нажать мне под ложечку, придется признаваться, что это была военная хитрость, и дело кончится невыносимым обоюдным унижением.

«Чертовски трудно сохранять достоинство, когда восходящее солнце слишком ярко в твоих угасающих глазах», — думала я, пока мы охотились на плохих парней в развалинах несуществующего города.

---

* Прием Геймлиха (резкое нажатие под диафрагму) применяется для удаления инородных тел из верхних дыхательных путей.

Наконец входил отец и уносил Гаса наверх. В дверях, под ободрением, заверявшим, что дружба вечна, я опускалась на колени поцеловать его на ночь, после чего ехала домой и ужинала с родителями, оставляя Гаса съедать (и выташнивать) свой ужин.

Посмотрев телевизор, я ложилась спать.

Утром я просыпалась.

Около полудня я снова приезжала к Гасу.

Глава 17

Однажды утром, через месяц после возвращения из Амстердама, я подъехала к дому Гаса. Родители сказали, что он спит внизу, поэтому я громко постучала в дверь цокольного помещения и позвала:

— Гас?

Я нашла его бормочущим на языке собственного изобретения. Он намочил постель. Это было ужасно. Я даже смотреть не могла. Я закричала его родителям, они спустились, а я поднялась наверх и была там, пока они его мыли.

Когда я спустилась снова, он медленно приходил в себя от обезболивающих перед новым мучительным днем. Я обложила его подушками, чтобы поиграть в «Карательные акции» на голом, без простыней, матраце, но он так устал и плохо воспринимал происходящее, что лежал почти так же, как я, и каждые пять минут нас убивали. Никаких героических смертей, только глупые.

Я ничего ему не говорила. Мне почти хотелось, чтобы он забыл о моем присутствии. Я надеялась, что он не помнит, как я нашла любимого человека невменяемым, лежащим в огромной луже собственной мочи. Я надеялась, что он посмотрит на меня и спросит:

— О-о, Хейзел Грейс, что ты тут делаешь?

Но, к сожалению, он все помнил.

— С каждой минутой я все глубже понимаю значение слов «смертельное унижение», — сказал он наконец.

— Я не раз писалась в постель, Гас, поверь мне. Подумаешь, большое дело.

— Раньше ты... — начал он и резко, болезненно вздохнул, — ...звала меня Огастус.

— Я знаю, — продолжил он спустя несколько минут, — это щенячье ребячество, но я всегда надеялся, что мой некролог окажется во всех газетах, потому что к концу жизни мне будет чем гордиться. Меня не покидало тайное подозрение, что я особенный.

— Ты и есть особенный, — заявила я.

— Ну, ты же понимаешь, о чем я говорю, — произнес он.

Я прекрасно понимала, просто не соглашалась.

— Мне все равно, появится мой некролог в «Нью-Йорк таймс» или нет, лишь бы ты его написал, — сказала я Гасу. — Ты говоришь, ты не особенный, потому что о тебе не знает мир, но это же оскорбление для меня. Я о тебе знаю!

— Вряд ли я буду в состоянии написать твой некролог, — ответил он вместо извинений.

Я была подавлена и расстроена.

— Я хочу заменить тебе все, но не могу. Для тебя всегда этого будет мало. Однако все, что у тебя есть, — я, твоя семья и этот мир. Это твоя жизнь. Жаль, если все это сплошной отстой, но уж какое есть. Ты не станешь первым, кто ступит на Марс, и не будешь звездой НБА, и не выловишь последних нацистов. Посмотри на себя, Гас. — Он не ответил. — Я не говорю, что...

— Нет, как раз это ты и говоришь, — перебил Огастус. Я начала извиняться, но он сказал: — Нет, это ты меня прости. Ты права. Давай просто играть.

И мы просто играли.

Глава 18

Я проснулась от песни «Лихорадочного блеска», которую Гас предпочитал всем прочим. Значит, звонил он или кто-то другой с его телефона. Я посмотрела на будильник: два тридцать пять ночи. «Умер», — мелькнула мысль, и все во мне взорвалось черной дырой одиночества.

Я едва выдавила:

— Алло?

И замерла в ожидании убитого голоса кого-то из его родителей.

— Хейзел Грейс, — слабо сказал Огастус.

— Слава Богу!.. Привет. Привет. Я тебя люблю.

— Хейзел Грейс, я на бензозаправке. Со мной что-то не так. Помоги мне.

— Что? Где ты?

— Скоростное шоссе возле Восемьдесят шестой и Дитч-роуд. Я что-то сделал с гастростомой, не могу разобраться что, и...

— Я звоню в «девять-один-один», — перебила я.

— Нет-нет-нет-нет, они заберут меня в больницу. Хейзел, послушай меня. Не звони туда и моим родителям тоже. Я тебя в жизни не прощу. Не звони, пожалуйста, просто приезжай, пожалуйста, приезжай и поправь эту чертову гастростому. Блин, Боже, ну глупейшая ситуация. Не хочу, чтобы родители знали, что я уехал. Пожалуйста! Все лекарства с собой, я только ввести их не могу. Пожалуйста. — Он плакал. Я никогда не слышала, чтобы он так рыдал, кроме того дня, когда мы уезжали в Амстердам.

— О'кей, — сказала я. — Выезжаю.

Я сняла маску ИВЛ, вставила в ноздри канюлю, открыла подачу кислорода, положила баллон на тележку и надела кроссовки, очень подходящие к розовым пижамным штанам и футболке с баскетболистом Батлером, которую раньше носил Гас. Я взяла ключи из выдвижного ящика на кухне, где их держала мама, и написала записку на случай, если родители проснутся, пока меня не будет.

Поехала проверить, как там Гас. Это важно. Извините.
Я вас люблю. Хейзел.

Пока я ехала пару миль до заправки, я проснулась достаточно, чтобы удивиться, отчего это Гас уехал из дома посреди ночи. Может, у него начались галлюцинации или в нем взыграли фантазии о мученичестве за правое дело?

Я мчалась по Дитч-роуд, пролетая на желтый свет и превышая скорость, в основном чтобы скорее добраться к Гасу, но отчасти в надежде, что меня остановят полицейские и у меня появится уважительная причина рассказать, что мой умирающий бойфренд застрял у бензозаправки из-за отказавшей гастростомы. Но ни один полицейский мне не попался. Решение предстояло принимать мне самой.

* * *

На парковке было всего две машины. Я подъехала к «тойоте» Гаса и открыла дверцу. Внутри загорелся свет. Огастус сидел за рулем, покрытый собственной рвотой, схватившись за живот, откуда выходила гастростома.

— Привет, — пробормотал он.

— О Боже, Огастус, тебе обязательно надо в больницу.

— Пожалуйста, хоть посмотри!

Давясь от запаха рвоты, я нагнулась и осмотрела живот, где чуть выше пупка хирурги вывели гастростому. Кожа вокруг трубки была горячая и ярко-красная.

— Гас, боюсь, это какая-то инфекция, мне этого не поправить. Ты почему здесь? Чего тебе дома не сидится? — Его снова вырвало, причем сил у него не осталось даже отвернуться. Все попало ему на колени. — Мальчик мой, — прошептала я.

— Я хотел купить сигарет, — кое-как выговорил он. — Я потерял свою пачку. Или ее у меня забрали, не знаю. Сказали, принесут мне другую, но я хотел... купить сам. Хоть одну мелочь хотел сделать сам.

Он смотрел прямо перед собой. Я тихо достала мобильный и опустила глаза, чтобы вызвать «скорую».

— Прости меня, — сказала я Гасу. «Девять-один-один, какая у вас проблема?» — «Здравствуйте, я на скоростном шоссе у Восемьдесят шестой и Дитч-роуд, срочно нужна "скорая". У любви всей моей жизни отказала гастростома».

Он поднял на меня глаза. Это было ужасно. Я с трудом заставляла себя глядеть на него. Огастус Уотерс, улыбавшийся уголком губ и сосавший незажженные сигареты, исчез; вместо него в машине сидело отчаявшееся, униженное создание.

— Вот и все. Я даже *не курить* больше не могу.

— Гас, я люблю тебя.

— Где же мой шанс стать для кого-нибудь Питером ван Хаутеном? — Он слабо ударил по рулю, и в тишине прозвучал резкий сигнал. Гас заплакал. Он откинул голову назад и уставился в потолок. — Ненавижу себя, ненавижу себя, ненавижу все это, ненавижу, я сам себе противен, ненавижу это, ненавижу, ненавижу, черт, просто дайте мне умереть!

По законам жанра, Огастусу Уотерсу полагалось до конца сохранять чувство юмора, не дрогнув ни на мгновение, а его дух должен был неукротимым орлом парить в эфире до того, как радостно слиться с миром.

Но правда была передо мной — жалкий юноша, отчаянно желающий не быть жалким, кричащий, плачущий, отравленный инфицированной гастростомой, помогающей ему оставаться в живых, но не жить.

Я вытерла ему подбородок, обхватила его лицо руками и присела так, чтобы видеть его глаза, которые еще жили.

— Мне очень жаль. Я хотела бы жить, как в том фильме о персах и спартанцах.

— Я тоже, — ответил он.

— Но жизнь — это не фильм, — продолжила я.

— Я знаю, — сказал он.

— Тут нет плохих парней.

— Да уж.

— Даже рак нельзя назвать плохим парнем. Рак тоже жить хочет.

— Да.

— С тобой все будет в порядке. О'кей?

Вдалеке взвыла сирена «скорой».

— О'кей, — сказал Гас. Он уже терял сознание.

— Гас, обещай мне не пытаться снова уезжать. Я принесу тебе сигареты, о'кей? — Он посмотрел на меня. Его глаза плавали в глазницах. — Ты должен мне обещать.

Он слабо кивнул. Глаза закрылись, голова свесилась набок.

— Гас, — позвала я. — Останься со мной.

— Почитай мне что-нибудь, — попросил он, когда долбаная «скорая» пронеслась мимо. В ожидании, пока они развернутся и все-таки найдут нас, я начала читать единственное, что пришло на память, — «Красную тачку» Уильяма Карлоса Уильямса.

— Так много зависит / От / Красной ручной тачки, / Блестящей / после дождя, / Стоящей / Среди белых цыплят.

Уильямс был врачом, и это произведение показалось мне чем-то вроде врачебной поэмы. Стих закончился, но «скорая» по-прежнему удалялась, поэтому я начала импровизировать.

Так много зависит, говорила я Огастусу, от синего неба, разрезанного ветками деревьев, над нашими головами. Так много зависит от прозрачной гастростомы, рвущейся из чрева юноши с посиневшими губами. И как много зависит от наблюдателя Вселенной*.

Находясь уже в полубессознательном состоянии, он окинул меня взглядом и пробормотал:

— И ты говорила, что не умеешь писать стихи?

---

* То есть от человека (речь идет о философском антропном принципе участия Д. Уилера: «Наблюдатели необходимы для обретения Вселенной бытия»).

Глава 19

Из больницы он вернулся через несколько дней, лишенный иллюзий окончательно и безоговорочно. Боль теперь снимали непрерывным вливанием лекарств. Он насовсем переехал в гостиную — больничную кровать поставили у окна.

Это были дни пижам и почесывания отраставшей щетины, невнятных просьб и рассыпания в бесконечных благодарностях за все, что другие делали за него.

Однажды днем он нетвердо указал на корзину, в которую собирали белье для стирки, стоявшую в углу комнаты, и спросил меня:

— Что это?

— Корзина для стирки?

— Нет, рядом.

— Рядом с корзиной я ничего не вижу.

— Последний ошметок моего достоинства. Совсем крошечный.

На следующий день я вошла в дом не позвонив. Родителям Гаса не нравилось, когда звонят в дверь, потому что это могло разбудить больного. В доме были сестры Гаса со своими мужьями, банковскими служащими, и тремя детьми, мальчиками, которые подбежали

ко мне и выпалили на три голоса: «Ты кто, ты кто, ты
кто?» — нарезая круги по прихожей. Можно подумать,
емкость легких — возобновляемый ресурс. Сестер Гаса
я уже видела, но с их мужьями и потомством пока не
встречалась.

— Я Хейзел, — ответила я.

— У Гаса есть подружка, — сказал один из маль-
чиков.

— Я знаю, что у Гаса есть подружка, — согласилась я.

— У нее есть сиси, — поведал другой.

— На самом деле?

— А это зачем? — спросил первый, указывая на тележку с кислородным баллоном.

— Это помогает мне дышать, — объяснила я. — Гас
проснулся?

— Нет, он спит.

— Он умирает, — сказал второй мальчишка.

— Он умирает, — подтвердил третий, вдруг став серь-
езным. Мгновение было тихо — я не знала, какой реп-
лики от меня ждут, но затем один пнул второго, и они
снова принялись носиться, падая друг на друга кучей-
малой, которая постепенно мигрировала на кухню.

Я пошла в гостиную, где столкнулась с зятьями Гаса:
Крисом и Дейвом.

Я не очень близко знала его сводных сестер, но они
меня крепко обняли. Джулия сидела на краешке кровати, разговаривая со спящим Гасом воркующим голосом, каким принято заверять младенца, что он хоро-
шенький:

— Гасси-Гасси, наш маленький Гасси-Гасси...

«Наш» Гасси? Они его что, купили?

— Как дела, Огастус? — спросила я, демонстрируя
подобающее поведение специально для его сестер.

— Наш прелестный Гасси, — сказала Марта, склоняясь над ним. У меня закралось сомнение, что Гас не спит, а изо всех сил вдавливает пальцем кнопку обезболивающего, пытаясь избежать нашествия сестер, которые хотят как лучше.

Через некоторое время он проснулся, и первое, что он сказал, было «Хейзел». Я невольно обрадовалась: получалось, будто я тоже часть его семьи.

— На улицу, — тихо попросил он. — Можно пойти?

Мы пошли. Мать везла кресло, а сестры, зятья, отец, племянники и я тащились позади. День был пасмурный, тихий и жаркий — июль, макушка лета. Гас был одет в темно-синюю футболку с длинными рукавами и флисовые спортивные брюки. Отчего-то он все время мерз. Он захотел пить, и отец принес ему воды.

Марта попыталась вовлечь Гаса в разговор, опустившись рядом с ним на колени.

— У тебя всегда были такие красивые глаза!

Он едва кивнул. Один из зятьев положил руку на плечо Гасу:

— Ну как тебе на свежем воздухе?

Гас пожал плечами.

— Дать тебе лекарства? — спросила мать, присоединившись к коленопреклоненному кружку, образовавшемуся вокруг Огастуса. Я отступила на шаг и смотрела, как его племянники прорвались через клумбу к клочку зеленой травы и тут же затеяли игру, где требовалось швырять друг друга на землю.

— Дети! — слабо вскрикнула Джулия. — Могу только надеяться, — сказала она, повернувшись к Гасу, — что они вырастут такими же серьезными и разумными молодыми людьми, как ты.

Я подавила желание демонстративно изобразить рвотный позыв.

— Он вовсе не так уж умен, — заявила я Джулии.

— Хейзел права. Большинство красавцев глупы, я всего лишь превосхожу ожидания.

— Верно, его главный козырь — это внешность, — поддержала я.

— Ослепительная.

— На Айзека подействовало, — заметила я.

— Ужасная трагедия, но что я могу поделать со своей убийственной красотой?

— Ничего.

— Красивое лицо — тяжкое бремя.

— Не говоря уже о теле.

— О-о, даже не напоминай мне о моем сексуальном теле! Ты точно не захочешь увидеть меня голым, Дейв. При виде моей наготы у Хейзел Грейс захватило дух, — похвастался Гас, кивнув на мой кислородный баллон.

— Ну-ну, хватит, — сказал отец Гаса, неожиданно обнял меня и поцеловал сбоку в волосы, прошептав: — Я каждый день благодарю за тебя Бога, детка.

Это был мой последний хороший день с Гасом до Последнего хорошего дня.

Глава 20

Одним из наименее дерьмовых законов жанра в детской онкологии считается правило Последнего хорошего дня, когда жертва рака нежданно-негаданно получает несколько сносных часов и ей кажется, будто неизбежный распад остановился, и боль ненадолго делается терпимой. Проблема в том, что не существует способа выяснить наверняка, просто ли нормальный у тебя день или это твой Последний хороший день. На первый взгляд они неотличимы.

Я взяла выходной от посещения Огастуса, потому что не очень хорошо себя чувствовала: ничего особенного, просто устала. День я провела в блаженной лени, и когда Огастус позвонил в начале шестого, я уже была подключена к ИВЛ, который мы перенесли в гостиную, чтобы я смогла посмотреть телевизор с мамой и папой.

— Привет, Огастус, — сказала я.

Он ответил тоном, на который я когда-то запала:

— Добрый вечер, Хейзел Грейс. Сможешь часам к восьми подъехать буквально в сердце Иисуса?

— Ну да, наверное.

— Превосходно. Приготовь надгробное слово, если нетрудно.

— Хм, — протянула я.

— Я люблю тебя, — сказал он.

— И я тебя, — ответила я. И в трубке раздался щелчок.

— Хм, — обратилась я к родителям. — Мне надо подъехать к восьми в группу поддержки. Экстренное собрание.

Мама выключила у телевизора звук.

— Что-нибудь случилось?

Я смотрела на нее секунду, подняв брови.

— Я так понимаю, вопрос риторический?

— Но для чего же экстренное...

— Потому что я зачем-то нужна Гасу. Не беспокойся, я сама съезжу. — Я неловко возилась с ИВЛ, ожидая, что мама поможет мне его снять, но она не помогла.

— Хейзел, — сказала она, — мы с отцом тебя практически не видим.

— Особенно некоторые, кто работает всю неделю, — добавил папа.

— Я ему нужна, — объяснила я, наконец отстегнувшись от аппарата.

— Детка, но и нам ты тоже нужна, — заметил папа, взяв меня повыше кисти, будто упрямящуюся двухлетку, которая хочет выбежать на проезжую часть.

— Ну что ж, пап, заполучи смертельную болезнь, и я буду чаще оставаться дома.

— Хейзел! — воскликнула мама.

— Ты сама не хотела, чтобы я сидела дома, — напомнила я. Папа по-прежнему сжимал мне руку. — А теперь хочешь, чтобы он побыстрее умер, чтобы я снова была прикована к дому и ты могла бы обо мне заботиться, как я тебе всегда позволяла. Но мне этого не нужно, мама, и ты мне не нужна, как раньше. Это *тебе* надо начать нормальную жизнь!

— Хейзел! — Папа крепче сжал мою руку. — Извинись перед матерью!

Я вырывала руку, но он не отпускал, и я не могла вставить канюлю. Это бесило как никогда. Все, чего мне хотелось, — старого доброго подросткового бунта, чтобы с топотом выбежать из комнаты и грохнуть дверью, а затем включить «Лихорадочный блеск» и яростно писать надгробную речь. А я не могла так сделать, потому что, черт возьми, не могла дышать.

— Канюля, — заскулила я. — Мне нужна канюля!

Папа немедленно меня отпустил и кинулся открывать баллон. Я видела вину в его глазах, но он по-прежнему был рассержен.

— Хейзел, извинись перед матерью.

— Хорошо, я прошу прощения, только сегодня мне не мешайте.

Они ничего не сказали. Мама сидела, скрестив руки на груди, не глядя на меня. Через некоторое время я поднялась и ушла к себе писать об Огастусе.

Мама с папой несколько раз пытались стучать ко мне в дверь или что-то спрашивать, но я просто говорила, что занята важным делом. У меня ушло много времени, чтобы понять, о чем я хочу написать, и даже тогда я осталась не совсем довольна своим творением. Я еще не закончила, когда заметила, что на часах без двадцати восемь. Это значило, что я опоздаю, даже если не переоденусь, то есть поеду в голубых пижамных штанцах, шлепанцах и в футболке Гаса с баскетболистом Батлером.

Я вышла из комнаты и попыталась пройти мимо родителей, но отец сказал:

— Ты не можешь никуда ехать без разрешения.

— О Боже мой, папа, он просил написать ему надгробное слово, ясно тебе? Я буду дома каж-дый чер-тов
ве-чер с зав-траш-не-го дня, о'кей?

Тут они наконец отстали.

Всю дорогу я успокаивалась после разговора с родителями. Я подъехала к церкви сзади и припарковалась на полукруглой дорожке рядом с машиной Огастуса. Задняя дверь церкви была открыта и подперта бу-
лыжником размером с кулак. Я думала спуститься по
лестнице, но потом все же решила дождаться старого
скрипучего лифта.

Двери лифта разъехались, и передо мной открылся
зальчик группы поддержки. Пустые стулья были состав-
лены в кружок, и Гас в инвалидном кресле, чудовищно
исхудалый, смотрел на меня из центра круга, ожидая,
когда я выйду из лифта.

— Хейзел Грейс, — сказал он. — Ты потрясающе выглядишь.

— Я знаю, понял?

Из дальнего угла послышался шорох. Айзек стоял у
небольшой деревянной конторки, держась за нее обе-
ими руками.

— Хочешь сесть? — спросила я Айзека.

— Нет, я собирался начать свое надгробное слово.
Опаздываешь.

— Ты... Я... Что?

Гас жестом пригласил меня присесть. Я вытянула
стул в центр кружка и села. Гас вместе с креслом повернулся к Айзеку.

— Я хочу побывать на своих похоронах, — сказал
он. — Кстати, ты будешь говорить на моих похоронах?

— Да, конечно, — ответила я, положив голову ему на плечо. Скользнув рукой по спине Гаса, я обняла его, а заодно и инвалидное кресло. Гас вздрогнул. Я тут же убрала руку.

— Прекрасно, — обрадовался он. — Я надеюсь все услышать в качестве призрака, но на всякий случай решил убедиться. Не хотел причинять вам неудобства, но не далее чем сегодня я подумал, что ведь можно провести репетицию похорон, и решил, раз уж я в довольно бодром настроении, не ждать другого раза.

— Как ты сюда прошел? — спросила я.

— Поверишь, что двери не запирают на ночь? — вопросом на вопрос ответил Гас.

— Не поверю, — сказала я.

— И правильно сделаешь, — улыбнулся Гас. — Я, конечно, понимаю, что это немного отдает самовозвеличиванием...

— Эй, ты крадешь мое надгробное слово! — возмутился Айзек. — Первая часть как раз о том, что ты много о себе мнил!

Я засмеялась.

— О'кей, о'кей, — сказал Гас. — Начинай, когда захочется.

Айзек откашлялся.

— Огастус Уотерс много о себе мнил и грешил самовозвеличиванием. Но мы его прощаем. Мы прощаем его не потому, что сердце у него было настолько золотое в фигуральном смысле, насколько в прямом смысле было хреновым, и не потому, что он умел держать сигарету лучше, чем любой другой некурящий за всю историю, и даже не потому, что он прожил всего восемнадцать лет...

— Семнадцать, — поправил Гас.

— Я же предполагаю, что ты еще некоторое время поживешь, придурок! — И Айзек продолжал: — Огастус Уотерс так много говорил, что перебил бы вас и на собственных похоронах. Он был претенциозен. Иисусе сладчайший, этот парень отлить не мог без того, чтобы не задуматься о многочисленных метафорических резонансах отходов человеческой жизнедеятельности. Он был тщеславен: я еще не встречал красивого человека, который осознавал бы свою физическую привлекательность острее, чем Огастус Уотерс. Но я скажу вам вот что: когда в будущем в мой дом придут ученые и предложат мне вставить электронные глаза, я пошлю подальше этих гадов вместе с их гаджетами, потому что не хочу видеть мир без Огастуса Уотерса.

К этому времени я уже почти плакала.

— После такого риторического заявления я, конечно, вставлю себе электронные глаза, потому что с ними, наверное, можно будет разглядывать девушек сквозь одежду и много чего другого. Огастус, друг мой, счастливого тебе пути.

Огастус часто закивал, сжав губы, а затем показал большой палец. Справившись с собой, он добавил:

— Я бы выкинул место о разглядывании девушек сквозь одежду.

Айзек, по-прежнему держась за конторку, заплакал, прижавшись к ней лбом. Я смотрела, как вздрагивают его плечи. Наконец он сказал:

— Черт тебя побери, Огастус! Редактируешь тебе предназначенное надгробное слово!

— Не сквернословь буквально в сердце Иисуса, — велел Гас.

— Черт бы все побрал, — снова возмутился Айзек. Он поднял голову и сглотнул. — Хейзел, можно твою руку?

Я забыла, что он сам не ориентируется. Я подошла, положила его руку себе на локоть и медленно повела к моему стулу рядом с Гасом; потом я поднялась на трибуну и развернула листок бумаги с распечаткой надгробного слова своего сочинения.

— Меня зовут Хейзел. Огастус Уотерс был величайшей любовью моей жизни, любовью, предначертанной свыше и свыше оборванной. У нас была огромная любовь. Я не могу сказать о ней и двух фраз, не утонув в луже слез. Гас знал. Гас знает. Я не расскажу вам об этом, потому что, как каждая настоящая любовь, наша умрет вместе с нами. Я рассчитывала, это Гас будет говорить на моих похоронах, потому что никого другого... — Я начала плакать. — Ну да, как не заплакать. Как я могу... О'кей. О'кей. — Глубоко подышав, я вернулась к листку: — Я не могу говорить о нашей любви, поэтому буду говорить о математике. Я не очень в ней сильна, но твердо знаю одно: между нулем и единицей есть бесконечное множество чисел. Есть одна десятая, двенадцать сотых, сто двенадцать тысячных и так далее. Конечно, между нулем и двойкой или нулем и миллионом бесконечное множество чисел больше — некоторые бесконечности больше других бесконечностей. Этому нас научил писатель, который нам раньше нравился. Бывают дни, и таких дней много, когда я чувствую обиду и гнев из-за размера моей личной бесконечности. Я хотела бы иметь большее множество чисел, чем мне, вероятно, отмерено, и, о Боже, я всей душой хотела бы большее множество чисел для Огастуса Уотерса, но, Гас, любовь моя, не могу выразить, как я благодарна тебе за нашу маленькую бесконечность. Я не променяла бы ее и на целый мир. Ты дал мне вечность за считанные дни. Спасибо тебе.

Глава 21

Огастус Уотерс умер через восемь дней после репетиции своих похорон в отделении интенсивной терапии больницы «Мемориал», когда рак, который был частью его, наконец остановил сердце, которое тоже было частью его.

Он был со своей матерью, отцом и сестрами. Миссис Уотерс позвонила мне в полчетвертого утра. Конечно, я знала, что он уходит — накануне вечером я говорила с его отцом, и он сказал: «Это может случиться сегодня», — но все равно, когда я схватила мобильный с тумбочки и увидела на экране «Мама Гаса», у меня внутри все оборвалось. Она плакала навзрыд и повторяла: «Мне так жаль», — и я ответила то же самое, и она сказала, что он был без сознания около двух часов, прежде чем наступила смерть.

Вошли мои родители с выжидательным видом, я кивнула, и они упали друг другу в объятия, охваченные, не сомневаюсь, гармоническим ужасом, который однажды коснется их напрямую.

Я позвонила Айзеку, который проклял жизнь, вселенную и Самого Бога и спросил, где чертовы трофеи для битья, сейчас бы они как никогда пригодились. После этого я вдруг поняла, что позвонить больше некому, и это было печальнее всего. Единственный, с кем я хотела говорить о смерти Огастуса Уотерса, был сам Огастус Уотерс.

Родители оставались в моей комнате целую вечность, пока не рассвело, и наконец папа спросил:

— Ты хочешь побыть одна?

Я кивнула, и мама сказала:

— Мы будем за дверью.

«Кто бы сомневался», — подумала я.

Это было невыносимо. Каждая секунда хуже предыдущей. Мне страшно хотелось позвонить ему и посмотреть, что из этого получится, кто ответит. Последние недели наше совместное времяпрепровождение ограничивалось разбором воспоминаний, но это, оказывается, было еще ничего.

Я лишилась удовольствия вспоминать, потому что не осталось того, с кем можно это делать. Потерять человека, с которым тебя связывают воспоминания, все равно что потерять память, будто все, что вы делали, стало менее реальным и важным, чем еще несколько часов назад.

Когда попадаешь в реанимацию, тебя первым делом просят оценить боль по десятибалльной шкале и на основании этого решают, какие лекарства дать и какую дозу. За несколько лет меня об этом спрашивали сотни раз, и, помню, однажды, в самом начале болезни, когда я не могла вздохнуть и мне казалось, что у меня в груди огонь и пламя лижет ребра, грозя выжечь изнутри все тело, я даже не могла говорить и только показала девять пальцев.

Позже, когда мне что-то дали, подошла медсестра. Меряя мне давление, она погладила меня по руке и сказала:

— Знаешь, а ты настоящий борец. Ты оценила десятку всего лишь девяткой.

Это было не совсем так. Я оценила боль в девять баллов, приберегая десятку на худший случай. И сейчас он наступил. Непомерная, чудовищная десятка обрушивалась на меня снова и снова, пока я неподвижно лежала на кровати и смотрела в потолок, а волны швыряли меня о скалы и оттаскивали в море, чтобы вновь запустить в иззубренное лицо утеса и оставить на воде лицом вверх, не утонувшую.

Наконец я ему все-таки позвонила. На пятом звонке включился автоответчик. «Вы позвонили Огастусу Уотерсу, — раздался звучный голос, из-за которого я в свое время с ходу влюбилась в Гаса. — Оставьте сообщение». Раздался писк. Мертвый эфир на линии казался сверхъестественно жутким. Я позвонила, чтобы снова попасть в то тайное, неземное, третье пространство, в котором мы всякий раз оказывались, болтая по телефону, и ожидала знакомого ощущения, но оно не появлялось. Мертвый эфир на линии ничего не облегчал, поэтому вскоре я положила трубку.

Я достала из-под кровати ноутбук, включила и зашла на страницу Гаса. На его стенке было уже много соболезнований. Последнее гласило:

Люблю тебя, брат. Увидимся на той стороне.

Написано кем-то, о ком я никогда не слышала. Посты появлялись так быстро, что я едва успевала их читать. Большинство из них от людей, с которыми я не была знакома и о которых Гас никогда не говорил. Они превозносили его достоинства теперь, когда он умер, притом что я знала наверняка — они не видели его много месяцев и палец о палец не ударили, чтобы навестить. Неужели и моя стенка будет так выглядеть после моей смерти или я так давно изъята из школы и жизни, что мне не грозит масштабная меморизация?

Я продолжала читать.

Мне тебя уже не хватает, брат.

Огастус, я тебя люблю. Благослови и прими тебя Господь.

Ты вечно будешь жить в наших сердцах, высоченный парень.

Это меня особенно уязвило — как намек на само собой разумеющееся бессмертие пока живых: ты будешь вечно жить в моей памяти, потому что я никогда не умру! Теперь я твой бог, мертвый юноша! Ты принадлежишь мне! Вера в собственное бессмертие — еще один побочный эффект умирания.

Ты всегда был отличным другом. Прости, что я редко тебя видел, с тех пор как ты перестал ходить в школу. Спорю, ты уже играешь в мяч в раю.

Я представила, как Огастус Уотерс анализирует этот комментарий: если я играю в раю в баскетбол, значит ли это, что в физическом местонахождении рая есть физические баскетбольные мячи? Кто их там делает? Значит, в раю есть души второго сорта, которые работают на небесной фабрике баскетбольных мячей, чтобы я мог играть? Или всемогущий Создатель сотворяет мячи из космического вакуума? Является ли такой рай некоей вселенной без наблюдателя, где неприменимы законы физики, и если так, почему, черт побери, я должен играть в баскетбол, когда я могу летать, или читать, или рассматривать красивых людей — словом, заниматься тем, что мне на самом деле нравится? Твои, приятель, представления о моей загробной жизни, скорее, говорят много интересного о тебе, чем о том, кем я был и кем стал.

Его родители позвонили мне около полудня сказать, что похороны будут через пять дней, в субботу. Я представила церковь, наполненную людьми, думающими, что он любил баскетбол, и меня затошнило, но я знала, что должна пойти, потому что обещала Гасу сказать речь, и вообще. Нажав отбой, я продолжила читать посты на стенке Гаса.

Только что узнал, что Гас Уотерс умер после продолжительной борьбы с раком. Покойся с миром, приятель.

Я знала, что все эти люди искренне опечалены и что на самом деле я злюсь не на них, я злюсь на вселенную, но все равно они меня бесили. Масса друзей объявляется, когда друзья тебе больше не нужны. Я написала ответ на этот комментарий:

Мы живем во вселенной, где все подчинено созданию и уничтожению сознания. Огастус Уотерс умер не после продолжительной борьбы с раком. Он умер

*после продолжительной борьбы с человеческим созна-
нием, пав жертвой — как, возможно, однажды па-
дешь и ты — привычки вселенной собирать и разби-
рать все, что можно.*

Я отправила сообщение и подождала ответов, снова и снова обновляя страницу. Ничего. Мой комментарий уже потонул в снежной метели новых постов. Все
обещали смертельно по нему тосковать. Все молились
за его семью. Я вспомнила письмо ван Хаутена: писа-
нина не воскрешает, она хоронит.

Некоторое время спустя я вышла в гостиную посидеть с родителями и посмотреть телевизор. Не скажу с
уверенностью, что это была за передача, но в какой-то
момент мама спросила:

— Хейзел, что мы можем сделать для тебя?

Я лишь покачала головой и снова начала плакать.

— Что мы можем сделать? — повторила мама.

Я пожала плечами.

Но она продолжала спрашивать, как будто действительно могла что-то сделать, и наконец я переползла по
дивану к ней на колени, подошел папа и крепко-креп-
ко обнял мои ноги, а я обхватила маму руками и уткну-
лась ей в живот, и так они держали меня несколько часов, пока прилив не начал спадать.

Глава 22

Когда мы пришли туда, я села в дальнем углу зала прощаний, маленького помещения с голыми каменными стенами сбоку от Буквального Иисусова Сердца. В комнате было стульев восемьдесят, две трети из них были заняты, но отчетливей ощущалась именно пустая треть.

Некоторое время я просто смотрела, как люди подходят к гробу, стоящему на каких-то носилках с колесиками, покрытых фиолетовой скатертью. Все эти люди, которых я видела впервые в жизни, опускались на колени или стояли и некоторое время смотрели на него, может, плача, может, что-то шепча, и каждый касался гроба, вместо того чтобы коснуться Гаса, потому что кому же хочется трогать покойника.

Мать и отец Гаса стояли у гроба, обнимая каждого отходившего, но когда они заметили меня, то улыбнулись и подошли сами. Я встала и обняла сначала отца, а потом мать, которая сильно, как это делал Гас, сжала мои лопатки. Оба выглядели очень старыми — глаза ввалились, кожа обвисла на измученных лицах. Они тоже пришли к финишу бега с препятствиями.

— Он тебя так любил, — сказала мама Гаса. — Любил по-настоящему. Это была не подростковая влюб-

ленность, ничего подобного, — добавила она, будто я
без нее не знала.

— Он и вас очень любил, — тихо ответила я. Трудно
объяснить, но этот разговор оставлял ощущение, будто
сама и наносишь, и получаешь болезненные раны. —
Мне очень жаль.

После этого родители Гаса говорили с моими родителями — кивки и поджатые губы. Я посмотрела на гроб,
увидела, что возле него никого нет, и решила подойти.
Вынула канюлю из ноздрей и сняла через голову, отдав
трубки папе. Я хотела побыть с Гасом один на один.
Взяв свою маленькую сумочку, я пошла по проходу между рядами стульев.

Путь показался очень длинным, но я повторяла своим легким заткнуться, доказывая, что они сильные и
выдержат. Я видела его, пока подходила. Волосы были
аккуратно расчесаны на пробор на левую сторону — такая прическа привела бы его в ужас, лицо как будто
пластифицировано, но это по-прежнему был Гас. Мой
длинный тощий красивый Гас.

Я хотела надеть маленькое черное платье, куплен-
ное для пятнадцатого дня рождения и назначенное моей
смертной одеждой, но оно стало мне слишком велико,
поэтому я надела простое черное платье до колен. Огастус лежал в костюме с щегольски узкими лацканами,
который надевал в «Оранжи».

Встав на колени, я поняла, что ему опустили веки —
как же иначе — и я никогда больше не увижу его голубых глаз.

— Я люблю тебя. В настоящем времени, — прошептала я и положила руку ему на грудь. — Все о'кей, Гас.
Все о'кей. Правда. Все о'кей. Слышишь меня? Все
о'кей. — У меня не было и нет уверенности, что он меня

слышал. Я наклонилась и поцеловала его в щеку. — О'кей, — сказала я. — О'кей.

Я вдруг поняла, что на нас все смотрят — в последний раз на нас было обращено так много взглядов, когда мы целовались в доме Анны Франк. Хотя, строго говоря, на нас смотреть было уже нельзя — нас не осталось. Одна я.

Я резко открыла сумочку, сунула руку внутрь и достала твердую пачку «Кэмел лайтс». Быстрым движением, надеясь, что никто не заметит, я сунула сигареты между Гасом и мягкой серебристой обивкой гроба.

— Эти можешь закуривать, — прошептала я. — Я возражать не стану.

Пока я с ним говорила, мама с папой пересели с моим баллоном во второй ряд, так что далеко идти не пришлось. Папа подал мне платок, когда я села. Я высморкалась, заправила трубки за уши и вставила кончики канюли в ноздри.

Я думала, прощание будет в центральном нефе церкви, но все ограничилось боковым приделом — Буквальной Рукой Иисуса (мы сидели примерно в той части, где к кресту была пригвождена его ладонь). Священник, поднявшись на помост, встал за гробом, будто гроб был кафедрой или амвоном, и немного рассказал о том, как Огастус вел отважный бой и как его героизм перед лицом болезни должен всем нам служить примером. Я уже начала закипать, когда священник заявил:

— В раю Огастус наконец обретет здоровье и целостность.

Видимо, намекал, что Гас был не таким целым, как остальные, из-за того что ему отняли ногу. Я не смогла подавить вздох отвращения. Папа схватил меня над коленом и сжал, укоризненно глядя, но с третьего ряда кто-то сказал почти вслух и почти у меня над ухом:

— Что за фигню он бормочет, да, детка?

Я резко обернулась.

Питер ван Хаутен сидел в белом льняном костюме, скроенном с учетом его шарообразных форм, в светло-голубой рубашке и зеленом галстуке. Вырядился, будто не на похороны, а для колониальной оккупации Панамы. Священник призвал собравшихся помолиться, и все наклонили головы, но я с отвисшей челюстью продолжала смотреть на Питера ван Хаутена при всем параде. Через секунду он прошептал:

— Давай все же помолимся.

И наклонил голову.

Я попыталась забыть о нем и молиться об Огастусе. Я обещала себе слушать священника и не оглядываться.

Священник пригласил Айзека, который держался гораздо серьезнее, чем на репетиции похорон.

— Огастус Уотерс был мэром Тайного города в Раковой Республике, и заменить его невозможно. Многие с легкостью вспомнят о Гасе что-нибудь забавное, потому что он был большим приколистом, но позвольте мне сказать о серьезном. На следующий день после того, как мне удалили второй глаз, Гас пришел в больницу. Я лежал, слепой, с разбитым сердцем, и ничего не хотел делать, но Гас влетел в мою палату и крикнул: «У меня отличная новость!» Я ответил, что не желаю в такой день слушать хорошие новости, но Гас настаивал: «Эту новость ты захочешь выслушать». Я сказал: «Ну ладно, выкладывай» — и он выдал: «Ты проживешь долгую жизнь, полную прекрасных и ужасных мгновений, которые ты себе даже представить не можешь!»

Продолжать Айзек не смог. А может, это было все, что он написал.

После него школьный приятель рассказал пару эпизодов о ярком баскетбольном таланте Гаса и его прекрасных качествах товарища по команде. Наконец священник сказал:

— А сейчас послушаем особого друга Огастуса, Хейзел.

Особого друга? Это вызвало смешки аудитории, поэтому я сочла за лучшее встать и сказать священнику:

— Я была его девушкой.

В зале засмеялись. Затем я начала читать надгробное слово.

— В доме Гаса есть замечательная надпись — цитата из Библии, которую и он, и я находили весьма утешающей: «Без боли как бы познали мы радость?»...

В таком духе я пару минут распространялась насчет идиотских ободрений, а родители Гаса держались за руки, обнимали друг друга и кивали на каждом слове.

Похороны, решила я, все-таки для живых.

Потом выступила его сестра Джулия, и церемония прощания закончилась молитвой о воссоединении Гаса с Богом. Я вспомнила, как Огастус говорил мне в «Оранжи», что не верит в облачные замки и арфы, но верит в Нечто с большой буквы «н». Пока длилась молитва, я пыталась его представить в таинственном Где-то с большой буквы, но тщетно убеждала себя, что когда-нибудь мы с ним снова будем вместе. Я знаю много умерших. Время для меня теперь течет иначе, чем для него. Я, как и все присутствующие, буду накапливать потери и привязанности, а он уже нет. Окончательной и невыносимой трагедией для меня было то, что, как все бесчисленные мертвые, Гас раз и навсегда разжалован из мыслящего в мысль.

Когда один из его зятьев внес бумбокс и поставил песню, которую выбрал Гас, — печальную спокойную композицию «Лихорадочного блеска» под названием «Новый напарник», — мне, ей-богу, захотелось домой. Я почти никого не знала в этом зале и чувствовала, как маленькие глазки Питера ван Хаутена сверлят мои торчащие лопатки. Но когда отзвучала песня, всем приглашенным понадобилось подойти ко мне и сказать, что я говорила прекрасно и служба очень красивая, что было неправдой: это была не служба, а похороны, и они ничем не отличались от любых других похорон.

Те, кто должен был нести гроб, — его кузены, отец, дядя, друзья, которых я видела впервые, подошли, подняли Гаса и направились к катафалку.

Когда мы с родителями сели в машину, я сказала:

— Не хочу ехать, я устала.

— Хейзел! — ужаснулась мама.

— Мам, там не будет места присесть, все затянется на пять часов, а я уже без сил.

— Хейзел, мы должны поехать ради мистера и миссис Уотерс, — напомнила мама.

— Знаете, что? — начала я. На заднем сиденье я отчего-то чувствовала себя совсем маленькой. Мне даже захотелось быть маленькой. Лет шести. — Ладно.

Некоторое время я смотрела в окно. Я действительно не хотела ехать. Не хотела видеть, как его будут опускать в землю на участке, который он сам выбирал со своим отцом, и не хотела видеть его родителей, стоящих на коленях на влажной от росы земле, и не хотела слышать, как они стонут от невыносимой боли, и не хотела видеть алкогольное брюхо Питера ван Хаутена, натянувшее белый льняной пиджак, и не хотела плакать на глазах у стольких людей, и не хотела бросать горсть земли в его могилу, и не хотела, чтобы моим родителям пришлось стоять там, под чистым голубым небом, пронзенным лучами полуденного солнца, думая о таком же дне, и о своем ребенке, и о моем участке на кладбище, и о моем гробе, и о моей горсти земли.

Но я все это сделала. Я сделала все это, и даже больше, потому что маме и папе казалось, что так надо.

Когда все закончилось, подошел ван Хаутен и положил толстую руку мне на плечо.

— Можно попросить об одолжении? Прокатную машину я оставил у подножия холма...

Я пожала плечами, и ван Хаутен открыл заднюю дверцу, едва папа отключил блокировку.

Внутри он наклонился между передними сиденьями и сказал:

— Питер ван Хаутен, беллетрист в отставке и полупрофессиональный обманщик надежд.

Родители представились. Он пожал им руки. Меня немало удивило, что Питер ван Хаутен пролетел полмира, чтобы присутствовать на похоронах.

— Как вы вообще... — начала я, но он меня перебил:

— Через ваш инфернальный Интернет я слежу за некрологами в Индианаполисе.

Он сунул руку за пазуху своего льняного пиджака и вытащил литровую бутыль виски.

— То есть вы просто купили билет и...

Он перебил меня снова, отвинчивая крышечку:

— Я отдал пятнадцать тысяч за билет первого класса, но у меня достаточно капитала, чтобы потакать своим причудам. Да и напитки в самолете бесплатные — при желании можно почти окупить стоимость билета.

Ван Хаутен сделал глоток виски и перегнулся вперед предложить папе, но тот отказался.

Тогда ван Хаутен наклонил бутылку ко мне. Я ее взяла.

— Хейзел, — предупредила мама, но я отвинтила крышечку и отхлебнула. В желудке стало примерно как в легких. Я отдала бутылку ван Хаутену, который сделал большой глоток и сказал:

— Итак, *omnis cellula e cellula**.

— Что?

— Мы с твоим Уотерсом переписывались немного в его последние...

— Стало быть, теперь вы читаете письма от фанатов?

— Нет, он адресовал письма мне домой, не через издателя, и поклонником я бы его не назвал — он меня презирал. Однако он очень убедительно писал, что я получу прощение за свое поведение, если приеду на его похороны и скажу тебе, что сталось с матерью Анны. Вот я и приехал, а вот тебе и ответ: *omnis cellula e cellula*.

— Что? — снова спросила я.

— *Omnis cellula e cellula*, — повторил он. — Все клетки происходят из клеток. Каждая клетка рождается от предыдущей, которая, в свою очередь, родилась от своей предшественницы. Жизнь происходит от жизни. Жизнь порождает жизнь порождает жизнь порождает жизнь...

Мы доехали до подножия холма.

---

* Клетка происходит только от клетки (*лат.*).

— Ладно, о'кей — прервала я. У меня не было настроения это выслушивать. Питер ван Хаутен не присвоит себе главную роль на похоронах Гаса, я этого не позволю. — Спасибо. По-моему, мы уже спустились с холма.

— И ты не хочешь объяснений? — удивился он.

— Нет, — отрезала я. — Обойдусь. Я считаю вас жалким алкоголиком, который говорит умности, чтобы привлечь к себе внимание, как какой-нибудь не по годам развитый одиннадцатилетний сопляк, и мне за вас невыносимо стыдно. Да-да, вы уже не тот человек, который написал «Царский недуг», и сиквел вы не осилите, даже если возьметесь. Ценю, что попытались. Всего вам наилучшего!

— Но...

— Спасибо за виски, — сказала я. — А теперь выметайтесь из машины.

Он явно присмирел. Папа остановился, и мы подождали, не выключая мотора, — а там, наверху, за нами была могила Гаса, — пока ван Хаутен открыл дверцу и, наконец-то замолчав, вылез.

Когда мы отъезжали, я смотрела через заднее стекло, как он отпил виски и поднял бутылку в моем направлении, словно пил за меня. Его глаза были очень грустными. Мне даже стало его жаль, честно говоря.

Домой мы попали часам к шести. Я была совсем без сил. Мне хотелось только спать, но мама заставляла меня поесть какой-то пасты с сыром, и в итоге она разрешила мне съесть ее в кровати. Потом я пару часов проспала с ИВЛ.

Пробуждение было ужасным: секунду мне казалось, что все хорошо, но в следующий миг случившееся обрушилось на меня заново. Мама отключила меня от ИВЛ, я впряглась в переносной баллон и поплелась в ванную чистить зубы.

Оценивая себя в зеркале и возя щеткой по зубам, я думала, что существуют два типа взрослых. Есть ван хаутены — жалкие создания, которые рыскают по земле, ища, кого побольнее задеть. А есть такие, как мои родители, — ходят, как зомби, и автоматически делают все, что надо делать, чтобы продолжать ходить.

Ни то ни это будущее мне не нравилось. Во мне крепло убеждение, что все чистое и хорошее в мире я уже видела, и я начала подозревать, что даже если бы смерть не встала у меня с Огастусом на пути, такая любовь, как у нас, долго бы не продлилась. *На смену рассвету приходит день*, как писал Фрост. *Золото не вечно*.

В дверь ванной постучали.

— *Occupada**, — сказала я.

— Хейзел, — позвал папа, — можно я войду? — Я не ответила, но через несколько секунд отперла дверь и присела на опущенную крышку унитаза. Почему дышать — это такая трудная работа? Папа опустился на колени рядом со мной, обхватил мою голову и, прижав к своей груди, сказал: — Мне очень жаль, что Гас умер. — Я немного задыхалась, уткнувшись носом в его футболку, но мне было хорошо от крепких объятий и знакомого папиного запаха. Казалось, он почти сердится, но мне это пришлось по душе. Я и сама была на взводе. — Сволочизм какой, от начала до конца. Восемьдесят процентов выживания, а он попал в оставшиеся двадцать. Гадство. Такой прекрасный мальчик!

---

* Занято (*исп.*).

Как несправедливо... Но ведь любить его — это счастье, правда?

Я кивнула в папину футболку.

— Теперь ты имеешь представление о том, как я люблю тебя, — прошептал папа.

Дорогой мой старичок. Всегда-то он знает, что сказать.

Глава 23

Пару дней спустя я встала с постели около полудня и поехала к Айзеку. Дверь он открыл сам.

— Мама повезла Грэма в кино, — сказал он.

— Нам надо куда-нибудь сходить или чем-то заняться, — заявила я.

— Могу предложить тебе посидеть на диване и поиграть в видеоигру для слепых.

— Это именно то, что нужно.

Мы провели пару часов, разговаривая с экраном и пробираясь в невидимом подземном лабиринте без единого огонька. Увлекательней всего было издеваться над компьютером, неизменно попадавшим впросак.

Я: Коснись стены пещеры.

К о м п ь ю т е р: Вы касаетесь стены пещеры. Она влажная.

А й з е к: Лизни стену пещеры.

К о м п ь ю т е р: Не понимаю. Повторите.

Я: Трахни влажную стену пещеры.

К о м п ь ю т е р: Вы пытаетесь прыгнуть через стенку пещеры. Вы ударяетесь головой.

А й з е к: Не *прыгни*, а *трахни*!

К о м п ь ю т е р: Не понимаю.

А й з е к: Чувак, я неделями брожу в темноте по лабиринту, мне нужна разрядка. *Трахни стену пещеры*!

К о м п ь ю т е р: Вы пытаетесь пры...

Я: Резко прижми низ живота к стенке пещеры.

К о м п ь ю т е р: Не понима...

А й з е к: Нежно займись с пещерой любовью.

К о м п ь ю т е р: Не понима...

Я: *Прекрасно*. Иди влево.

К о м п ь ю т е р: Вы идете влево. Проход сужается.

Я: Иди на четвереньках.

К о м п ь ю т е р: Вы идете на четвереньках сотню ярдов. Проход сужается.

Я: Ползи, как змея.

К о м п ь ю т е р: Вы ползете по-змеиному тридцать ярдов. По вашему телу стекает струйка воды. Путь перекрыт горкой мелких камней.

Я: Могу я теперь трахнуть пещеру?

К о м п ь ю т е р: Вы не можете прыгнуть из положения лежа.

А й з е к: Мне не нравится жить в мире без Огастуса Уотерса.

К о м п ь ю т е р: Не понимаю.

А й з е к: Я тоже. Пауза.

Он бросил пульт на диван между нами и спросил:

— Не знаешь, ему больно было?

— Наверняка он задыхался, — ответила я. — В конце концов потерял сознание, но, судя по всему, уходил нелегко. Умирать вообще паршивое занятие.

— Да, — согласился Айзек. И добавил спустя некоторое время: — Мне все это кажется невозможным.

— Это происходит сплошь и рядом, — отрезала я.

— Ты вроде злая какая-то, — заметил он.

— Да, — ответила я. Мы сидели молча очень долго, и это было хорошо. Я вспоминала то заседание группы поддержки, когда Гас сказал, что боится забвения, а я возразила, что он имеет глупость бояться явления универсального и неизбежного и что проблема не в страдании или забвении как таковых, но в безнравственной бессмысленности этих явлений, в абсолютно бесчеловечном нигилизме страдания. Я думала о папе, сказавшем: «Вселенная хочет, чтобы ее замечали», — но ведь мы-то хотим, чтобы сама Вселенная нас замечала и чтобы ей было не плевать на то, что с нами происходит, — не с коллективной идеей разумной жизни, а с каждым отдельным индивидуумом.

— Гас тебя по-настоящему любил, — сказал Айзек.

— Я знаю.

— Он говорил об этом без умолку.

— Я знаю, — повторила я.

— Это бесило, как не знаю что.

— Меня это не бесило, — отрезала я.

— Он тебе отдал то, что написал?

— Что он писал?

— Вроде сиквел к книге, которая тебе нравилась.

Я повернулась к Айзеку:

— Что?!

— Он говорил, что работает над чем-то для тебя, но не особо одарен писательским талантом.

— Когда он это говорил?

— Не скажу точно. Вроде вскоре после Амстердама.

— Вспомни, когда именно? — настаивала я. Неужели он не успел закончить? Или закончил и оставил в своем компьютере?

— Эх, — вздохнул Айзек, — не помню я. Разговор об этом зашел здесь, у меня. Мы играли с этим моим устройством, которое пишет и читает и-мейлы, я еще от бабушки и-мейл получил, могу проверить, если ты...

— Да-да, где оно?

Гас говорил про сиквел месяц назад. Целый месяц. Не самый легкий для него, но все же целый месяц. Достаточно времени, чтобы написать хоть что-то. А значит, до сих пор от него по-прежнему что-то оставалось: пусть не от него самого, так хотя бы от им написанного. Я хотела это получить.

— Еду к нему домой, — сообщила я Айзеку.

Я поспешила к мини-вэну, втащила тележку с баллоном на пассажирское сиденье и завела машину. Из стерео заорал хип-хоп, и, когда я потянулась сменить радиостанцию, кто-то начал читать рэп. По-шведски.

Обернувшись, я закричала, увидев на заднем сиденье Питера ван Хаутена.

— Извини, что напугал, — сказал Питер ван Хаутен, перекрывая оглушительный рэп. Он по-прежнему был в своем похоронном костюме, почти неделю спустя. Несло от него так, будто он потел алкоголем. — Можешь оставить себе диск, это Снук, один из главных шведских...

— А-а-а-а-а, УБИРАЙТЕСЬ ИЗ МОЕЙ МАШИНЫ! — Я выключила стерео.

— Это машина твоей матери, насколько я понял, — возразил он. — И она стояла незапертой.

— О Боже, выходите, или я звоню в «девять-один-один»! Чувак, да в чем твоя проблема?!

— Если бы только одна, — мечтательно сказал он. — Я здесь, чтобы извиниться. Ты была права, заметив ранее, что я жалкое ничтожество и у меня алкогольная зависимость. Единственная женщина, проводившая со мной время, да и то лишь потому, что я за это платил, ушла. Я остался совсем один, не имея возможности обзавестись компанией даже за взятку. Все это правда, Хейзел. Это и не только это.

— О'кей, — согласилась я. Речь получилась бы более проникновенной, если бы у ван Хаутена не заплетался язык.

— Ты напоминаешь мне Анну.

— Я многим много чего напоминаю, — огрызнулась я. — Мне правда надо ехать!

— Ну так поезжай, — сказал он.

— Выходите.

— Нет. Ты напоминаешь мне об Анне, — повторил он. Через секунду я включила задний ход и выехала на дорогу. Не хочет выходить — не надо, доеду до дома Гаса, пусть Уотерсы ван Хаутена выгоняют.

— Ты, конечно, знаешь об Антониетте Мео, — начал ван Хаутен.

— Да нет, — бросила я, включая стерео, но ван Хаутен орал, заглушая шведский хип-хоп:

— Возможно, скоро она станет самой молодой святой с немученической кончиной, канонизированной католической церковью. У нее был тот же рак, что у мистера Уотерса, остеосаркома. Ей отняли правую ногу. Боли были сильнейшими. Когда Антониетта Мео лежала, умирая в цветущем возрасте шести лет от этого мучительного рака, она сказала своему отцу: «Боль как ткань: чем она крепче, тем больше ценится». Хейзел, это правда?

Я не обернулась, но посмотрела на него в зеркало заднего вида.

— Нет! — проорала я, перекрывая музыку. — Вранье собачье!

— Но разве тебе не хочется, чтобы это было правдой! — крикнул он. Я выключила проигрыватель. — Прости, что я испортил вам поездку. Вы были слишком юными. Вы были... — Он оборвал фразу, будто у него было право плакать по Гасу. Ван Хаутен был не более чем очередным плакальщиком, не знавшим Гаса при жизни, еще одним запоздалым причитанием на его стенке в Интернете.

— Ничего вы нам не испортили, не задирайте нос. У нас была прекрасная поездка!

— Я пытаюсь! — сказал он. — Я пытаюсь, клянусь.

Именно в этот момент я поняла, что в семье у Питера ван Хаутена тоже был покойник. Я вспомнила прямоту, с которой он писал о больных раком детях, и тот факт, что он не смог нормально говорить со мной в Амстердаме, спросив только, намеренно ли я оделась, как Анна. Вспомнила и его отвратительное обращение со мной и Огастусом, и этот волнующий его вопрос об отношении между силой боли и ее ценностью. Он сидел на заднем сиденье и пил — старик, который пьет уже много лет. Я подумала о статистике, которую лучше бы не знать: половина браков разваливается через год после смерти ребенка. Я оглянулась на ван Хаутена. Мы как раз проезжали мой колледж, поэтому я остановилась у припаркованных машин и спросила:

— У вас что, ребенок умер?

— Дочь, — ответил он. — Ей было восемь. Страдала красиво. И никогда не будет канонизирована.

— У нее была лейкемия? — спросила я. Он кивнул. — Как у Анны, — добавила я.

— Практически да.

— Вы были женаты?

— Нет. На момент ее смерти уже нет. Я сделался несносен задолго до того, как мы ее потеряли. Горе нас не меняет, Хейзел, оно раскрывает нашу суть.

— Вы жили с ней?

— Нет, сперва нет, хотя в конце мы перевезли ее в Нью-Йорк, где я жил, для серии экспериментальных мучений, отравивших ей дни, но не продливших жизнь.

Через секунду я сказала:

— И вы дали ей эту вторую жизнь, где она была подростком.

— Справедливая оценка, — сказал он и быстро добавил: — Полагаю, тебе знакома проблема мысленного эксперимента Филиппы Фут* с гипотетической вагонеткой?

— А потом к вам домой пришла я, одетая девушкой, которой, как вы надеялись, стала бы ваша дочь, и вас ошеломило мое появление?

— Там, понимаешь, вагонетка без управления несется по путям... — начал он.

— Мне неинтересен ваш дурацкий мысленный эксперимент, — перебила я.

— Не мой, Филиппы Фут.

— И ее тоже.

— Она не понимала, почему это происходит, — сказал ван Хаутен. — И мне нужно было сказать ей, что она умирает. Социальный работник говорила, что я обязан сказать. Мне нужно было сказать дочери, что она умирает, и я сказал, что она отправляется в рай. Она спро-

---

* Американская исследовательница Филиппа Фут в 1967 году первой предложила этическую проблему на примере вагонетки, несущейся на играющих на рельсах детей, которую можно перевести на другой путь, где играет только один ребенок.

сила, буду ли и я там. Я ответил, что пока нет. Ну хоть
когда-нибудь, спросила она. И я пообещал, что да, конечно, очень скоро. И еще сказал, что там, наверху, у
нас есть прекрасная семья, которая будет пока о ней заботиться. А дочь все спрашивала меня, когда я там буду,
и я отвечал — скоро. Двадцать два года назад.

— Мне очень жаль.

— Мне тоже.

После паузы я спросила:

— А что сталось с ее матерью?

Он улыбнулся:

— Все ждешь свой сиквел, маленькая паршивка?

Я тоже улыбнулась.

— Вам надо ехать домой, — посоветовала я. — Про-
трезвейте. Напишите новый роман. Делайте то, что у
вас хорошо получается. Мало кому дается такой та-
лант.

Он смотрел на меня в зеркало долго-долго.

— Ладно, — согласился он. — Да. Ты права. Ты права. — Но, говоря это, он вытащил почти пустую литровую бутыль виски, отпил, завинтил крышечку и открыл
дверь. — До свидания, Хейзел.

— Не берите в голову, ван Хаутен.

Он уселся на бордюр за машиной. Я посматривала
в зеркало, как он уменьшается. Ван Хаутен вынул бутыль. Секунду казалось, что он сейчас встанет с бордю-
ра, но он сделал глоток.

День в Индианаполисе выдался жаркий, воздух был
неподвижный и густой, будто в середине облака. Худшая для меня погода, но, отправляясь в бесконечный
поход от машины до крыльца, я повторяла себе — это
всего лишь воздух. Я позвонила. Открыла мать Гаса.

— О-о, Хейзел, — сказала она и, плача, обняла меня.

Она заставила меня съесть немного лазаньи с бак-лажанами — наверное, теперь много людей приносили им еду и всякую всячину — вместе с ней и отцом Гаса.

— Как ты?

— Мне его не хватает.

— Да.

Я не знала, о чем говорить. Мне хотелось спустить-ся в подвал и отыскать то, что он написал для меня. К тому же меня угнетала тишина в комнате. Я предпоч-ла бы, чтобы Уотерсы разговаривали между собой, уте-шали друг друга, держались за руки, но они просто си-дели и ели очень маленькие кусочки лазаньи, не глядя друг на друга.

— Раю был нужен ангел, — произнес отец спустя не-которое время.

— Да, — сказала я. Тут пришли сестры Гаса и в кух-ню гурьбой ввалились их дети. Я встала и обняла Джу-лию и Марту. Мальчишки носились по кухне, внося ос-тро необходимый избыток шума и движения, хаотичес-ки сталкиваясь, как молекулы, и крича:

— Ты салка нет ты салка нет я был но я тебя осалил нет не осалил ты до меня не дотронулся ну тогда сей-час салю нет тупая задница сейчас тайм-аут.

— Дэниел, не смей называть брата тупой задницей!

— Мам, а если мне нельзя так говорить, почему ты сама только что сказала «тупая задница»? — И они хо-ром начали скандировать: — Задница тупая задница ту-пая задница тупая!

Родители Гаса взялись за руки, и от этого мне стало легче.

— Мне Айзек сказал, что Гас что-то писал... для меня, — решилась я.

Дети по-прежнему тянули свою песню про тупую задницу.

— Можно посмотреть в компьютере, — предложила его мать.

— Он мало подходил к нему последние недели, — сказала я.

— Это правда. По-моему, мы даже не приносили ноутбук наверх, так и стоит в подвале. Я права, Марк?

— Понятия не имею.

— А тогда можно, — спросила я, — можно... — Я кивнула на дверь в подвал.

— Мы еще не готовы туда спускаться, — признался отец Гаса. — Но ты, конечно, иди, Хейзел. Конечно, иди.

Я сошла вниз мимо его неубранной постели, мимо L-образных игровых кресел. Компьютер так и стоял включенным. Я подвигала мышкой, чтобы его разбудить, и поискала файлы, которые редактировали последними. Ничего за целый месяц. Самым последним было сочинение-отзыв о «Самых синих глазах» Тони Моррисон.

Может, он писал что-то от руки? Я подошла к полкам, высматривая дневник или блокнот. Ничего. Я пролистала «Царский недуг». Он не оставил в книге ни единой пометки.

Я подошла к тумбочке. «Бесконечный Мейхем», девятый сиквел «Цены рассвета», лежал рядом с настольной лампой, уголок страницы 138 был загнут. Так и не дочитал до конца.

— Испорчу тебе удовольствие: Мейхем выжил, — громко сказала я Гасу на случай, если он меня слышит.

Я легла на его неубранную кровать и завернулась в его одеяло, как в кокон, окружив себя его запахом. Я вынула канюлю, чтобы острее чувствовать запах, дышать им, упиваться, но запах с каждой секундой становился слабее, в груди жгло на вдохе и выдохе, и вскоре все превратилось в сплошную боль.

Я села в кровати, снова вставила канюлю и немного подышала, прежде чем подняться наверх. Я покачала головой в ответ на выжидательные взгляды его родителей. Мимо меня пробежали дети. Одна из сестер Гаса — я их не различала — спросила:

— Мам, хочешь, я уведу их в парк?

— Нет-нет, все хорошо.

— Не оставлял ли он где-нибудь записную книжку? Может, в больничной кровати?

Койку уже забрали обратно в хоспис.

— Хейзел, — сказал его отец. — Ты была с нами каждый день. Ты... он мало был один, детка. У него просто не оставалось времени что-нибудь писать. Я знаю, ты хочешь... Я тоже этого хочу. Но послания от него теперь идут с неба, Хейзел. — Он показал на потолок, будто Гас летал над домом. Впрочем, может, и летал, я не знаю. Я его присутствия не ощущала.

— Да, — произнесла я и пообещала снова навестить их через несколько дней.

Мне больше никогда не удалось почувствовать его запах.

Глава 24

Три дня спустя, на одиннадцатый день отрыва от земли, папа Гаса позвонил мне утром. Я еще была подключена к ИВЛ, поэтому не ответила, но прослушала сообщение, едва мобильник пискнул. «Хейзел, здравствуй, это папа Гаса. Я нашел, э-э, черный молескин на полке для журналов, рядом с которой стояла его больничная кровать, — видимо, он положил, куда смог дотянуться. К сожалению, в книжке нет записей. Все листки чистые. Первые три или четыре вырваны. Мы обыскали весь дом, но страниц не нашли. Я не знаю, как это понимать. Может, именно об этих листках говорил Айзек? Надеюсь, с тобой все хорошо. Мы молимся за тебя каждый день. Ну, пока».

Три или четыре страницы, вырванные из молескина, которых нет в доме Огастуса Уотерса. Где он мог оставить их для меня? Приклеил скотчем к Улетным костям? Нет, туда бы он уже не доехал. Буквальное Сердце Иисуса. Может, он там что-нибудь оставил в свой Последний хороший день?

На следующий день я отправилась в группу поддержки на двадцать минут раньше. Я заехала за Айзеком, и мы покатили в Буквальное Сердце Иисуса, опустив стекла мини-вэна и слушая слитый в Интернет новый альбом «Лихорадочного блеска», который Гас никогда не услышит.

В наш подвал мы спустились на лифте. Я подвела Айзека к стулу в кружке доверия и медленно обошла Буквальное Сердце, проверяя повсюду: под стульями, вокруг конторки, за которой я стояла, читая надгробное слово, под столом с печеньем и лимонадом, на доске объявлений с развешанными рисунками учеников воскресной школы, изобразивших любовь Господню. Ничего. Это единственное место, где мы были вместе с Гасом в последние дни, помимо его дома, и либо листков здесь нет, либо я что-то упускаю. Возможно, он оставил их мне в больнице, но в таком случае их почти наверняка уже выбросили.

Совершенно запыхавшись, я села рядом с Айзеком, обреченно слушая полную историю безъяицкости Патрика и убеждая легкие, что с ними все в порядке, они могут дышать и здесь достаточно кислорода. Дренаж мне делали всего за неделю до смерти Гаса — я видела, как янтарный раковый экссудат часто-часто капает из меня через трубку, но легкие уже снова казались полными. Я так сосредоточилась на попытках уговорить свои легкие дышать, что не сразу услышала, как Патрик произнес мое имя.

Внимание переключилось, и я спросила:

— Да?

— Как ты?

— Нормально, Патрик. Запыхалась немного.

— Ты не хочешь поделиться с группой воспоминаниями об Огастусе?

— Я хочу просто умереть, Патрик. Ты когда-нибудь хотел просто умереть?

— Да, — ответил Патрик без своей обычной паузы. — Да, конечно. Что же тебя удерживает?

Я подумала. У меня был старый готовый ответ — я живу ради родителей, потому что они будут убиты горем и останутся бездетными. Это по-прежнему оставалось своего рода правдой, но не всей и не настоящей.

— Не знаю.

— Надеешься, что тебе станет лучше?

— Нет, — ответила я. — Не поэтому. Я правда не знаю. Айзек? — окликнула я. Я действительно устала говорить.

Айзек заговорил об истинной любви. Я не могла сказать то, что я думаю, потому что мне самой это казалось фальшивым, а думала я о том, что Вселенная хочет, чтобы ее заметили, и я должна замечать ее как можно лучше. Я чувствовала, что должна этой Вселенной и могу оплатить этот долг лишь своим вниманием. Чувствовала, что в долгу перед каждым, кто уже перестал быть человеком, и перед всеми, кто еще не стал. Что мой папа мне и сказал, если разобраться.

Остаток заседания группы поддержки я молчала. Патрик отдельно помолился за меня, имя Гаса затолкали в длинный список покойников — по четырнадцать на каждого из нас, мы обещали прожить сегодня как лучший в жизни день, и затем я повела Айзека в машину.

Когда я вернулась домой, мама с папой сидели за обеденным столом за своими ноутбуками. Едва я вошла, мама свой резко захлопнула.

— Что у тебя там?

— Да просто некоторые рецепты с антиоксидантами. Ну что, ИВЛ и «Топ-модель по-американски»? — спросила она.

— Я пойду полежу.

— Ты в порядке?

— Да, устала просто.

— Ты должна поесть, прежде чем...

— Мама, я категорически не голодна. — Я сделала шаг к двери, но она меня остановила:

— Хейзел, ты должна есть. Всего несколько...

— Нет, я пойду спать.

— Нет, — запротестовала мама. — Не пойдешь.

Я посмотрела на папу. Он пожал плечами.

— Это моя жизнь, — напомнила я.

— Ты не заморишь себя голодом, из-за того что Огастус умер. Ты сядешь и съешь ужин.

Я отчего-то вдруг разозлилась:

— Я не могу есть, мам. Не могу, о'кей?

Я попыталась пройти мимо, но мама схватила меня за плечи и сказала:

— Хейзел, ты будешь есть. Тебе нужно оставаться здоровой.

— Нет! — закричала я. — Я не буду ужинать и не могу остаться здоровой, потому что я не здорова. Я умираю, мама! Я умру и оставлю вас одних, и у тебя не будет над кем кудахтать, и больше тебя никто не назовет мамой! Мне очень жаль, но я ничего не могу с этим поделать!

Я пожалела о сказанном, едва договорив.

— Ты меня слышала...

— Что?

— Ты слышала, что я тогда сказала твоему отцу. — Ее глаза увлажнились. — Слышала? — Я кивнула. — О Боже, Хейзел, прости меня, детка, я была не права. Это неправда. Я сказала это в минуту отчаяния. Я сама в это не верю. — Мама села, и я присела рядом, запоздало жалея, что попросту не выблевала съеденную пасту вместо того, чтобы злиться.

— Во что же ты веришь в таком случае? — спросила я.

— Пока кто-то из нас жив, я буду твоей мамой, — ответила она. — Даже если ты умрешь, я...

— Когда, — поправила я.

Она кивнула.

— Даже когда ты умрешь, я все равно буду твоей мамой, Хейзел. Я не перестану быть твоей мамой. Разве ты перестала любить Гаса? — Я покачала головой. — Как же я перестану любить тебя?

— О'кей, — ответила я. Папа уже плакал.

— Я хочу, чтобы у вас была своя жизнь, — сказала я. — Меня беспокоит, что у вас не будет жизни, и вы станете целыми днями сидеть здесь без меня, объекта для заботы, смотреть в стенку и желать себе смерти.

Через минуту мама сказала:

— Я учусь онлайн в университете Индианы. Хочу получить магистерский диплом по социальной работе. Я не искала рецепты с антиоксидантами. Я писала контрольную.

— Правда?

— Я не хотела, чтобы ты подумала, будто я планирую свою жизнь после тебя. Но если я сдам на магистра, я смогу консультировать семьи, переживающие кризис, или вести группы людей, у которых в семье случился рак, или...

— Стоп, ты что, станешь Патриком?

— Не совсем. Есть разные виды социальной работы.

Папа сказал:

— Мы оба беспокоились, чтобы ты не почувствовала себя покинутой. Но мы всегда будем рядом, Хейзел. Мама никуда не уйдет.

— Но это же отлично! Как хорошо! — Я искренне улыбалась. — Мама станет Патриком. Из нее выйдет замечательный Патрик! Она будет в сто раз лучше Патрика!

— Спасибо, Хейзел. Для меня твое мнение решает все.

Я кивнула, плача. Не в силах вынести искреннее счастье, я впервые за целую вечность плакала от радости, представляя маму в роли Патрика. Я невольно подумала о матери Анны — из нее тоже вышел бы хороший социальный работник.

Через некоторое время мы включили телевизор и начали смотреть «Топ-модель по-американски», но через пять секунд я нажала на паузу, потому что меня распирали вопросы.

— А сколько тебе осталось до диплома?

— Если этим летом я на неделю выберусь в Блумингтон, то к декабрю закончу.

— Сколько же времени ты от меня это скрываешь?

— Год.

— Мама!

— Я боялась задеть твои чувства, Хейзел. Великолепно.

— Значит, когда ты ждешь меня у колледжа или после группы поддержки, ты всякий раз...

— Да, работаю или читаю.

— Как здорово! Если я умру, знай, я буду шумно вздыхать в раю всякий раз, как ты попросишь кого-нибудь поделиться своими чувствами.

Папа засмеялся.

— Я буду там с тобой, детка, — заверил он меня.

Наконец мы стали смотреть «Топ-модель». Папа изо всех сил старался не умереть от скуки, но постоянно путал, кто из девушек кто, и спрашивал:

— Она нам нравится?

— Нет-нет, — отвечала мама. — Анастейшу мы не одобряем. Нам нравится Антония, та, другая блондинка.

— Да они все высокие и ужасные, — отозвался папа. — Извини, что не отличаю одну от другой. — Папа потянулся через меня и взял маму за руку.

— Слушайте, вы останетесь вместе, если я умру? — спросила я.

— Хейзел, что? Детка, — мама нащупала пульт и снова нажала на паузу, — что случилось?

— Просто спрашиваю, вы останетесь вместе?

— Да, конечно. Конечно, — ответил папа. — Мы с твоей мамой любим друг друга, и если мы потеряем тебя, мы пройдем через это вместе.

— Поклянись Богом, — потребовала я.

— Клянусь Богом, — произнес папа.

Я посмотрела на маму.

— Клянусь Богом, — повторила она. — А почему ты вообще об этом задумалась?

— Не хочу разрушить вашу жизнь.

Мама нагнулась, прижалась лицом к моим всклокоченным волосам и поцеловала в макушку. Я сказала папе:

— Не хочу, чтобы ты превратился в жалкого безработного алкоголика.

Мама улыбнулась:

— Твой папа — не Питер ван Хаутен, Хейзел. Уж ты-то лучше других знаешь, что можно жить и с болью.

— О'кей, — сказала я. Мама обняла меня, и я не сопротивлялась, хотя и не хотела, чтобы меня обнимали. — О'кей, включай уже давай. — Анастейшу выгнали. Она закатила истерику. И это было невероятно.

Я поклевала ужин — макароны-бантики под соусом песто — и даже смогла удержать пищу внутри.

Глава 25

На следующее утро я проснулась в ужасе — мне приснилось, что я оказалась совершенно одна и без лодки посредине огромного озера. Я резко села в кровати, натянув трубку ИВЛ, и почувствовала на себе мамину руку.

— Хейзел, ты что? — Сердце у меня сильно билось, но я кивнула в том смысле, что все в порядке. Мама сказала: — Тебе звонит Кейтлин.

Я показала на маску ИВЛ. Мама помогла ее отстегнуть, надела мне канюлю от Филиппа, и наконец я взяла у нее свой сотовый:

— Привет, Кейтлин.

— Я звоню узнать, как ты, — сказала она. — Как у тебя дела?

— Спасибо, — ответила я. — Все о'кей.

— Тебе страшно не повезло, дорогая. Это просто вопиющая несправедливость.

— Да, наверное, — согласилась я. Я мало думаю о своем везенье или невезснье. Мне совершенно не хотелось говорить с Кейтлин, но она затягивала разговор.

— Слушай, а как это? — спросила она.

— Когда умирает твой бойфренд? Паршиво.

— Нет, — уточнила Кейтлин. — Быть влюбленной?

— О-о, — выдохнула я. — Это... Мне было очень приятно общаться с таким интересным человеком. Мы были очень разными, спорили о многих вещах, но он всегда был очень интересным, понимаешь?

— Увы, нет. Парни, с которыми знакомлюсь я, чудовищно неинтересны.

— Он не был совершенством. Он не был идеальным. Он не был сказочным принцем. Временами старался походить на принца, но мне он больше нравился, когда с него слетала эта шелуха.

— У тебя есть какой-нибудь альбом с его снимками и письмами?

— Несколько снимков есть, но писем он мне никогда не писал. Правда, в его блокноте отсутствует несколько страниц, там могло быть что-то для меня, но, скорее всего, он их выбросил или они потерялись.

— Может, он сбросил их тебе по электронке?

— Нет, уже давно бы все пришло.

— Тогда, может, они были написаны не для тебя, — предположила Кейтлин. — Что, если... Я говорю не для того, чтобы испортить тебе настроение, но что, если он написал их для кого-то другого и переслал по электронной почте...

— Ван Хаутен! — закричала я.

— Ты чего? Это ты так кашляешь?

— Кейтлин, ты чудо. Ты гений! Мне пора.

Я нажала отбой, перекатилась по кровати, достала ноутбук, включила его и написала Лидевей Флигентхарт.

Лидевей!

Я считаю, что Огастус Уотерс незадолго до своей смерти переслал несколько страниц из записной книжки Питеру ван Хаутену. Мне очень важно, чтобы кто-нибудь их прочел. Я, конечно, тоже хочу их прочесть, но, возможно, они написаны не для меня. Тем не менее эти страницы надо найти. Обязательно. Вы можете мне помочь?

Ваш друг Хейзел Грейс Ланкастер.

Лидевей ответила через несколько часов.

Дорогая Хейзел!

Я не знала, что Огастус умер, и очень опечалена этой новостью. Такой харизматичный молодой человек! Мне крайне жаль, скорблю вместе с вами.

Я не говорила с Питером со дня своего увольнения, мы с вами еще тогда ходили в музей. Сейчас у нас глубокая ночь, но с утра я первым делом поеду к нему домой, найду это письмо и заставлю Питера его прочитать. Обычно утром с ним еще вполне можно разговаривать.

Ваш друг Лидевей Флигентхарт.

P.S. Захвачу с собой бойфренда на случай, если Питера придется физически удерживать.

Я гадала, почему в свои последние дни Огастус писал не мне, а ван Хаутену, упирая на то, что ван Хаутен будет прощен, только если я получу свой сиквел. Может, страницы из записной книжки содержат лишь повтор его настойчивой просьбы? Не исключено. Свою скорую смерть Гас вложил в осуществление моей мечты; вряд ли стоит умирать ради сиквела какой-то книги, но это самое большее, что оставалось в его распоряжении.

Я постоянно обновляла почту, потом поспала несколько часов и в пять утра снова начала обновлять.

Писем не было. Я пробовала смотреть телевизор, но мыслями то и дело возвращалась в Амстердам, представляя, как Лидевей Флигентхарт и ее бойфренд едут на велосипедах через весь город с безумной миссией — найти последнее письмо мертвого юноши. Как хорошо было бы подскакивать на багажнике позади Лидевей Флигентхарт на мощеных улицах, и чтобы ее кудрявые рыжие волосы бросало ветром мне в лицо, а на улицах пахло бы водой из каналов и сигаретным дымом, и люди сидели бы в уличных кафе за кружкой пива, произнося «р» и «дж» так, как мне никогда не выучиться.

Мне не хватало... будущего. Конечно, я и до его рецидива понимала, что мне не суждено состариться с Огастусом Уотерсом. Но, думая о Лидевей и ее бойфренде, я чувствовала себя ограбленной. Я, наверное, никогда больше не увижу океан с высоты тридцати тысяч футов; с такого расстояния нельзя различить волны или лодки, и океан кажется безбрежным монолитом. Я могу его представить. Я могу его помнить. Но я не увижу его снова. И мне пришло в голову, что ненасытные человеческие желания никогда не удовлетворяются сбывшимися мечтами: всегда кажется, что все можно сделать снова и лучше.

Наверное, так бывает, даже если дожить до девяноста, хотя я и завидую тем, кому повезет проверить это лично. С другой стороны, я уже прожила вдвое больше, чем дочь ван Хаутена. Ему не суждено было иметь ребенка, который умрет в шестнадцать.

Неожиданно мама встала между мной и телевизором, держа руки за спиной.

— Хейзел, — сказала она так серьезно, что я испугалась — что-то случилось.

— Да?

— Ты знаешь, какой сегодня день?

— Мой день рождения?

Она засмеялась:

— Еще нет. Сегодня четырнадцатое июля, Хейзел.

— Твой день рождения?

— Нет.

— День рождения Гарри Гудини?

— Нет.

— Все, я устала гадать.

— Сегодня же День взятия Бастилии! — Она развела руки в стороны и с энтузиазмом замахала двумя маленькими французскими флагами.

— Фикция какая-то, вроде Дня профилактики холеры.

— Уверяю тебя, Хейзел, во взятии Бастилии нет ничего фиктивного. Да будет тебе известно, что двести двадцать три года назад народ Франции ворвался в тюрьму Бастилию, чтобы добыть себе оружие и сражаться за свободу.

— Вау, — обрадовалась я. — Надо отпраздновать эту исключительно важную дату.

— Так получилось, что я только что договорилась о пикнике в Холидей-парке с твоим отцом.

Она никогда не успокоится, моя мама. Я оттолкнулась от дивана и встала. Вместе мы кое-как нарезали толстых сандвичей и извлекли из чулана в коридоре пыльную корзину для пикников.

День по местным меркам был прекрасный. Наконец-то в Индианаполис пришло настоящее лето, теплое и влажное, — такая погода после долгой зимы напоминает, что мир создавался не для людей, это люди созданы для мира. Папа нас уже ждал в светло-коричневом костюме, стоя на парковочном месте для инвалидов и что-то печатая на карманном компьютере. Он помахал нам, когда мы припарковались, и обнял меня.

— Вот это погода, — сказал он. — Живи мы в Калифорнии, каждый день такое бы видели.

— Ну и надоели бы нам сразу погожие дни, — возразила мама. Она была не права, но поправлять я не стала.

Мы расстелили одеяло у Развалин — странного прямоугольного сооружения, ляпнутого посреди Индианаполиса и изображавшего развалины Рима. Не настоящие развалины, а этакое скульптурное воссоздание. Построенные восемьдесят лет назад, Развалины от небрежного отношения и запустения превратились в настоящие развалины. Ван Хаутену бы понравилось. И Гасу тоже.

В тени Развалин мы съели скромный ленч.

— Тебе дать крем от солнца? — спросила мама.

— Не надо, все о'кей, — ответила я.

Ветер шелестел листвой и приносил с игровой площадки крики детей, которые пытались разобраться в том, как жить и ориентироваться в мире, здесь, на игровой площадке, созданной специально для них, в то время как мир не был специально создан для них. Папа перехватил мой взгляд и спросил:

— Тебе обидно, что ты не можешь так резвиться?

— Иногда, пожалуй.

Но думала я не об этом. Я старалась все замечать: игру света на обветшавших Развалинах, едва научившегося ходить карапуза, обнаружившего палочку в углу детской площадки, мою неутомимую маму, чертившую зигзаги горчицы на сандвиче с индейкой, папу, убравшего в карман карманный компьютер и сдерживавшего желание его достать, парня, бросавшего фрисби своей собаке, которая в сотый раз бежала почти наравне с пластмассовой тарелкой, ловила ее и приносила хозяину.

Кто я такая, чтобы утверждать, что все это не навсегда? Кто такой Питер ван Хаутен, чтобы заявлять как факт гипотезу, что любые наши усилия тщетны? Все, что я знаю о рае, и все, что я знаю о смерти, здесь, в этом парке: элегантная вселенная в непрерывном движении, изобилующая руинами и шумными детьми.

Папа помахал ладонью у меня перед глазами.

— Хейзел, проснись! Ты где?

— А, да, что?

— Мама предложила съездить к Гасу.

— Давайте, конечно, — сказала я.

Поэтому после ленча мы отправились на кладбище Краун-Хилл, последнее пристанище трех вице-президентов, одного президента и Огастуса Уотерса. Мы подъехали к холму и остановились. Сзади, по Тридцать восьмой улице, проносились машины. Найти могилу Гаса оказалось легко — она была самой свежей. Земля над гробом еще не осела. Могильного камня пока не поставили.

Я не чувствовала, что он вот здесь, но все-таки взяла один из маминых дурацких французских флажков и воткнула в землю в изножье могилы. Может, случайный прохожий подумает, что Гас был членом французского Иностранного легиона или другого героического наемного войска.

Лидевей ответила в седьмом часу, когда я сидела на диване и смотрела одновременно и телевизор, и видео

на ноутбуке. Я сразу увидела четыре приложения к и-
мейлу и захотела их тотчас же открыть, но переборола
искушение и прочитала сначала письмо.

Дорогая Хейзел!

*Питер был уже под сильным воздействием алко-
голя, когда утром мы приехали к нему домой, но это
отчасти даже облегчило дело. Бас (мой бойфренд) от-
влекал его, пока я перебирала содержимое мусорных
пакетов, куда Питер имеет обыкновение складывать
послания от поклонников. Но тут я вспомнила, что
Огастус знал домашний адрес Питера. На обеденном
столе высилась большая стопка писем, в которой я
очень быстро нашла нужный конверт. Я открыла его,
увидела, что письмо адресовано Питеру, и попросила
прочитать.*

Он отказался.

*Я очень разозлилась в тот момент, Хейзел, но кри-
чать на Питера не стала. Я сказала ему, что он обязан ради своей покойной дочери прочитать письмо по-
койного юноши, и дала ему письмо. Он прочел его от
начала до конца и сказал, цитирую: «Перешлите это
девчонке и скажите, что мне нечего добавить».*

*Я письмо не читала, хотя и видела некоторые фра-
зы, пока сканировала листки. Прикрепляю сканы здесь,
а странички вышлю тебе почтой. Твой адрес прежний?
Благослови и храни тебя Бог, Хейзел.*

Твой друг Лидевей Флигентхарт.

Я быстро открыла четыре приложения. Его почерк
был неряшлив, с сильным наклоном, буквы отличались
по размеру и цвету. Гас писал это письмо много дней,
разными ручками и не всегда в ясном сознании.

Ван Хаутен!

Я хороший человек, но дерьмовый писатель. Вы дерьмовый человек, но хороший писатель. Из нас вышла бы отличная команда. Я не желаю у вас одалживаться, но если у вас есть время — а насколько я видел, времени у вас хоть отбавляй, — хочу поинтересоваться, не напишете ли вы надгробное слово для Хейзел? У меня есть записки и наброски, так не могли бы вы соединить отрывки в нечто связное, как-то обработать, ну или даже просто сказать мне, где я должен выразиться иначе?

С Хейзел дело вот в чем. Почти каждый одержим идеей оставить свой след в истории. Завещать наследство. Остаться в памяти. Все мы хотим, чтобы нас помнили. Я не исключение. Меньше всего на свете я хочу стать очередной забытой жертвой в древней и бесславной войне с раком.

Я хочу оставить свой след.

Но, ван Хаутен, следы, которые оставляют люди, часто оказываются шрамами. Строишь, например, мини-молл, или совершаешь государственный переворот, или пытаешься стать рок-звездой и думаешь: «Теперь-то уж меня не забудут», но а) тебя забывают и б) все, что после тебя остается, напоминает безобразные шрамы. Переворот оборачивается диктатурой, мини-молл оказывается убыточным.

(Может, я и не совсем дерьмовый писака, но я не умею связно излагать, ван Хаутен. Мои мысли — звезды, которые я не способен объединить в созвездия.)

Мы подобны своре псов, мочащихся на пожарные гидранты. Мы отравляем грунтовые воды нашей ядовитой мочой, метим все как свою территорию в нелепой попытке пережить собственную смерть. Я не могу перестать мочиться на пожарные гидранты. Я знаю, что это глупо и бесполезно — эпически бесполезно в моем теперешнем состоянии, — но я животное, как все остальные.

Хейзел иная. У нее легкая походка, старик. Она легко ступает по земле. Хейзел знает истину: у нас столько же возможностей навредить Вселенной, как и помочь ей, причем маловероятно, чтобы нам удалось первое или второе.

Люди скажут — жаль, что она оставила после себя не такой большой шрам и немногие будут ее помнить, жаль, что ее любили хоть и глубоко, но недолго. Но это не печаль, ван Хаутен. Это торжество. Это величие. Разве не в этом подлинный героизм? Как там первая заповедь врача — не навреди?

Настоящие герои — это не те, кто действует; настоящие герои — это те, кто все замечает. Тип, который изобрел прививку от оспы, на самом деле ничего не изобретал. Он просто заметил, что люди, перенесшие коровью оспу, не болеют настоящей.

Спалившись на позитронном сканировании, я тайком пробрался в палату интенсивной терапии и увидел Хейзел, когда она лежала без сознания. Я прошел за спиной медсестры с бейджем, и добрых десять минут меня не замечали. Я думал, что она умрет, и я не успею ей сказать, что я тоже умираю. Это было невыносимо: несмолкаемые механические звуки приборов в интенсивной терапии. Из ее груди капала эта темная раковая жидкость. Глаза закрыты. Интубирована. Но ее рука по-прежнему была ее рукой, теплой, с ногтями, покрытыми темно-синим, почти черным лаком, и я держал ее за руку, пытаясь представить себе мир без нас, и на секунду во мне, нормальном в общем-

то парне, родилась надежда, что Хейзел умрет, не узнав, что я тоже умираю. Но я тут же захотел, чтобы она еще пожила и мы успели влюбиться друг в друга. Полагаю, я реализовал свое желание. Я оставил свой шрам.

Вошел медбрат и велел мне выйти, потому что посетителям сюда нельзя. Я спросил, каков прогноз, и он сказал: «Пока отек продолжается». Вода. Благословение пустыни, проклятие океана.

Что еще? Она такая красивая. На нее невозможно наглядеться. Не нужно волноваться, что она умнее меня: я и так знаю, что умнее. Она забавная и никогда не бывает злой. Я люблю ее. Мне так повезло, что я люблю ее, ван Хаутен. В этом мире мы не выбираем, будет нам больно или нет, старик, но у нас есть возможность выбирать, кто именно сделает нам больно. И я своим выбором доволен. Надеюсь, она тоже.

Правильно надеешься, Огастус.
Так и есть.

Выражение признательности

Прежде всего я хотел бы признаться, что весьма вольно обошелся в романе с раком и его лечением. Фаланксифора, например, не существует. Я его придумал — мне хотелось бы, чтобы такое лекарство появилось. Всякий, желающий ознакомиться с подлинной историей рака, должен прочитать книгу «Царь всех болезней» Сиддхартхи Мукерджи. Еще я многим обязан «Биологии рака» Роберта А. Уайнберга, а также Джошу Сандквисту, Маршаллу Уристу и Йоннеке Холландерсу, которые нашли время поделиться со мной своими знаниями в медицинских вопросах. Полученные сведения я радостно игнорировал, когда мне этого хотелось.

Я хотел бы поблагодарить:

• Эстер Эрл, чья жизнь стала подарком мне и многим другим. Я благодарен семье Эрл — Лори, Уэйну, Эбби, Энджи, Грэму и Эйбу — за отзывчивость и дружбу. В память об Эстер семья Эрлов основала некоммерческий фонд «Эта звезда не погаснет». Подробнее об этом можно узнать на tswgo.org.

• Нидерландский литературный фонд, который предоставил мне возможность два месяца писать книгу в Амстердаме. Особая благодарность Флёр ван Коппен, Джин Кристоф Буле ван Хенсбрук, Жанетте де Уит, Карлейн ван Равенстейн, Маргье Схепсма и голландскому обществу нердфайтеров.

• Моего редактора и издателя Джулию Страус-Гейбел, выдержавшую многолетние перипетии с этим романом, и замечательное издательство «Пенгуин». Спасибо Розанне Лауэр, Деборе Каплан, Лизе Каплан, Элис Маршалл, Стиву Мельцеру, Нове Рен Сума и Айрин Вандерворт.

• Айлин Купер, мою наставницу и добрую фею-крестную.

• Моего агента Джоди Ример, чьи мудрые советы спасли меня от бесчисленных бед.

• Нердфайтеров за то, что они такие классные.

• Кэтитьюд за желание сделать мир не таким гнилым местом.

• Брата Хэнка, лучшего друга и самого близкого компаньона.

• Мою жену Сару, которая стала не только любовью всей моей жизни, но и первой и самой доверенной моей читательницей. Малыша Генри, которому она дала жизнь. Моих родителей, Майка и Сидни Грин, и родителей жены, Маршалла и Конни Уристов.

• Моих друзей Криса и Мартину Уотерс, помогавших мне с романом в самые важные моменты, а также Джолин Хослер, Шеннона Джеймса, Ви Харта, блестящего знатока диаграммы Венна Карен Каветт, Валери Барр, Розианну Хальс Ройас и Джона Дарниэлла.

Литературно-художественное издание

16+

Грин Джон

Виноваты звезды

Роман

Ответственный редактор Д.В. Тарасова
Ответственный корректор И.Н. Мокина
Компьютерная верстка: Р.В. Рыдалин
Технический редактор О.В. Панкрашина

Общероссийский классификатор продукции
ОК-005-93, том 2; 953000 — книги, брошюры

ООО «Издательство АСТ»
129085, г. Москва, Звездный бульвар, д. 21, строение 3, комната 5
Наш электронный адрес: **www.ast.ru**
E-mail: neoclassic @ast.ru
ВКонтакте: vk.com/ast_neoclassic

«Баспа Аста» деген ООО
129085, г. Мәскеу, жұлдызды гүлзар, д. 21, 3 құрылым, 5 бөлме
Біздің электрондық мекенжайымыз: www.ast.ru
E-mail: neoclassic @ast.ru

Қазақстан Республикасында дистрибьютор
және өнім бойынша арыз-талаптарды қабылдаушының
өкілі «РДЦ-Алматы» ЖШС, Алматы қ., Домбровский көш., 3«а», литер Б, офис 1.
Тел.: 8(727) 2 51 59 89,90,91,92, факс: 8 (727) 251 58 12 вн. 107;
E-mail: RDC-Almaty@eksmo.kz
Өнімнің жарамдылық мерзімі шектелмеген.

Өндірген мемлекет: Ресей
Сертификация қарастырылмаған

Подписано в печать 11.04.16.
Формат 84х108 1/32. Усл. печ. л. 15,12.
С.: MustRead — Прочесть всем. Доп. тираж 3000 экз. Заказ № 1205 а.
С.: Кино. Доп. тираж 12000 экз. Заказ № 1205.

Отпечатано в ООО «Тульская типография».
300026, г. Тула, пр. Ленина, 109.